D1299438

LE GRANDI RICETTE *in Cartapaglia*

UN MATERIALE ANTICO
PER I TUOI PREZIOSI VOLUMI DI RICETTE.
LA CARTAPAGLIA, LA TRADIZIONALE CARTA DA MACELLAIO,
VIENE PRODOTTA CON LA CLASSICA SAPIENZA
DEI MAESTRI CARTAI UTILIZZANDO FOGLIE DI MAIS:
LE IRREGOLARITÀ DELLA SUPERFICIE TI RACCONTANO
DI COME SI PUÒ RISPETTARE LA NATURA, UTILIZZANDO
MATERIALI POVERI E ALLO STESSO TEMPO RICCHI
DI SAGGEZZA E AMORE PER LE COSE BUONE E GENUINE.

ORA STAI SFOGLIANDO UN LIBRO CHE È ANCHE IL SEGNO
DI UNA TRADIZIONE DEGNA DI ESSERE RISPETTATA.

LE RICETTE PIÙ GOLOSE, SPIEGATE IN MODO CHIARO E
RICCHE DI SIMPATICHE ILLUSTRAZIONI, TI DELIZIERANNO
E TI GUIDERANNO ALLA SCOPERTA
DI UN UNIVERSO GASTRONOMICO AFFASCINANTE,
TUTTO DA ESPLORARE.

copertina
SABINA DI PIETRO

realizzazione grafica
MARINELLA AVANZO, MARIO CASTELLANI, CARLA DELFRATE, GLORIA DELLA GATTA,
CRISTINA FABBRICOSI, CINZIA MONDELLINI, CINZIA VITONE

stampa
TECHNO MEDIA REFERENCE - Milano

diffusione esclusiva
MEDIALIBRI DISTRIBUZIONE s.r.l.
via Idro, 38 - Milano
tel. 02/25 63 166 - 272 07 255
fax 02/25 67 179

agostina carnevale maffè

PASTA

La Spiga

PREFAZIONE

Noi italiani abbiamo importato dall'estero alcuni termini "gastronomici" che sono entrati massicciamente a far parte del linguaggio comune e delle abitudini, specie delle nuove generazioni, ma con altrettanta, se non superiore, efficacia (e da molto più tempo) abbiamo saputo esportare in tutto il mondo alcuni nostri "cibi-simbolo" che hanno contribuito alla costruzione d'una immagine stereotipa e folcloristica dell'italiano: spaghetti, maccheroni e pizza, che, conditi con un pizzico di mandolino, ci hanno etichettato irrimediabilmente.
Italia = pastasciutta, pastasciutta = spaghetti, spaghetti = gusto, fantasia, appetito, vitalità, e... chi più ne ha più ne metta.
Forse l'eco della famosa e seguitissima "dieta mediterranea", che accentra tutta la sua attenzione su cibi soprattutto sani, ha aiutato un po' tutti a riscoprire alimenti ricchi ed energetici come la pasta.
Nell'ultimo decennio la loro ormai secolare presenza è stata un po' oscurata da una forte tendenza, generalizzata, ad eliminare i carboidrati, all'insegna di quel codice tacito che ci vorrebbe tutti snellissimi e superscattanti, e che ci porta a scegliere cibi striminziti e assolutamente privi di rispetto per le nostre povere papille gustative.
Ma ogni buon italiano non rinuncerebbe mai al suo amato piatto di pastasciutta: sono troppo antiche e radicate le tradizioni nell'animo nazionale perché possano estinguersi nel giro di poche generazioni!
I più preziosi segreti dell'arte casereccia del preparare la pasta in casa vengono tramandati gelosamente da madre in figlia. In Calabria, addirittura, ogni ragazza da marito, per poter essere considerata una brava donna di casa, deve dimostrare di conoscere almeno quindici diversi modi per preparare la pasta.
Tutte le regioni, dal Trentino alla Sicilia, hanno le loro tipiche portate che, con le storie, le usanze, le leggende, i costumi locali, arricchiscono e rallegrano il già coloratissimo scenario gastronomico nazionale. È una grande parata culinaria in cui sfila la Puglia, donandoci le sue famose orecchiette, la Toscana con le pappardelle (squisite con il sugo di lepre), la Calabria con i fusilli, e ancora la Liguria con le trenette e i pansotti, l'Emilia-Romagna con le tagliatelle, gli agnolotti, i tortellini e via di seguito.

I sughi e i condimenti, i più caratteristici dei quali hanno fatto il giro del mondo e sono usati nei più famosi ristoranti internazionali, rispecchiano perfettamente la loro zona d'origine. Contengono le erbe, i sapori, le carni, gli aromi tipici del luogo in cui sono nati e, anzi, possono variare, anche solo per una piccolezza, tra due cittadine distanti pochi chilometri l'una dall'altra.
L'intento del nostro libro è proprio quello di cogliere questi diversi aspetti della cucina italiana, presi nella loro dimensione originale e popolare, per considerarli anche in un'altra veste, più "universale", se così si può definire.
Dovremmo sentirci orgogliosi di essere considerati dei "pastasciuttari", noi italiani... anche perché questa definizione contribuisce, insieme con tante altre, a tenere alto il nome della nostra creatività estrosa e ad alimentare quella specie di moda che si orienta, considerata la nostra antica esperienza e tradizione, verso tutto ciò che è "made in Italy".

STORIA DELLA PASTA

La storia della pasta non ha origini ben precise ed i primi, sparuti, documenti che accennano a spaghetti e maccheroni risalgono solo al XVI secolo.
Senza dubbio, come interesse storico, è sempre prevalsa la storia del pane, alimento universale che accompagna da secoli l'evoluzione stessa dell'uomo. Il pane, fonte ineguagliabile di vita, ha lasciato un'impronta indelebile sulle civiltà dei popoli, da quando, millenni or sono, è entrato, oltre che nella loro vita quotidiana, anche nelle pratiche religiose e mistiche.
Tra le tante leggende, preghiere, tradizioni e superstizioni sorte intorno al pane, solo un'incerta leggenda aleggia a proposito della nascita della pasta; secondo questa, il dio Vulcano, infuriatosi tremendamente con Cerere, dea della vegetazione e di tutte le biade, strappò dalla terra della Campania ogni chicco di frumento; con rabbia furibonda pestò questi chicchi con la sua mazza di ferro, immerse la farina ottenuta tra le fiamme e i vapori del Vesuvio. Da ultimo sparse un po' di succo d'olivo sullo strano intruglio e... si mangiò il primo piatto di pasta all'olio della storia. La leggenda è un punto a favore di coloro che sostengono che la palma della tradizione debba essere riconosciuta al popolo partenopeo.
Ipotesi, questa, condivisa anche dalla famosa scrittrice Matilde Serao che, in una novella ambientata nel 1200 a Napoli, narra di una certa Jovinella, la quale, spiando le mosse e gli esperimenti di un famoso alchimista chiamato Chico, riuscì a carpire il segreto della leggendaria ricetta dei maccheroni al pomodoro.
Anche se molto accattivante e suggestivo, il racconto si infrange in mille pezzi alla prova con la storia: il pomodoro, infatti, giunse in Italia alcuni secoli più tardi, dopo la scoperta dell'America.
Certamente la tradizione napoletana è forse quella più antica e riconosciuta, e lo è stata per molto tempo, ma c'è da considerare anche un piccolo fatto naturale che è un punto a suo vantaggio: l'acqua della Campania è molto ricca di zolfo e ciò dona alla pasta un'elasticità e una resistenza alla cottura non facilmente realizzabili in altre condizioni. Altri sostengono che la culla della pastasciutta sia stata la Grecia, poiché il termine "maccheroni" deriva dal sostantivo "maghis", che significa "colui che impasta", oppure dal latino "maccare", cioè "schiacciare per impastare". Ma non è ancora finita. Ad aumentare la confusione, creata dalle già tanto ingarbugliate e presunte origini della pastasciutta, appare l'interessante testimonianza di Marco Polo. Il noto esploratore, durante il suo viaggio in Cina, osservò come i cinesi amassero cibarsi di una strana pasta, usata da infinite generazioni, che gli ricordava vagamente la sua lontana Italia, perché era molto simile alle lasagne, già conosciute a Venezia (il termine

lasagne deriva da "laganae", usato dai tempi degli Etruschi e presente tuttora in alcuni tipi di pasta regionale, come le laganelle abruzzesi).

Probabilmente, però, questo particolare cibo non era ottenuto con farina di grano, ma con altre farine derivanti dagli "alberi del pane".
Arriviamo al 1492, quando, finalmente, si parla della ricetta per preparare una vivanda "dicta vermicelli" in una scrittura in volgare dello storiografo Platina.
In un'altra cronaca dell'epoca vengono descritte certe botteghe di "lasagnaie" sorte a Firenze e gestite da donne siciliane, senza alcun aiuto maschile.
C'è allora da supporre che l'arte gastronomica della pasta fatta in casa fosse già da tempo conosciuta nella regione siciliana.
L'impasto era ottenuto con una farina piuttosto granulosa, con acqua e uova. Poi veniva steso su un tavolato di legno e tirato a sfoglia con il matterello (a Milano il matterello si sarebbe chiamato "cana delle foiade" e a Napoli "laganaturo"). Dalla pasta si ritagliavano poi strisce ed altri vari formati, che avrebbero assunto col tempo le denominazioni più strane. Erano comunque delle produzioni artigianali a carattere familiare e per lo più sconosciute dalla plebe.
Per le classi povere i vermicelli o i maccheroni non rappresentavano che una leggenda, un miraggio, destinati com'erano al consumo d'élite.
Col passare degli anni il piatto di maccheroni sarebbe entrato anche nelle case della povera gente, ma come specialità del Carnevale e quindi raro. Solo col tempo sarebbe diventato una vivanda quasi quotidiana.
Verso la metà e la fine del XVI secolo la produzione cominciò a prendere piede e si hanno notizie di avviati laboratori nel Lazio, in Liguria, in Campania, in Sicilia, dove l'impasto veniva ottenuto lavorando con i piedi gli ingredienti, quasi si trattasse di una danza propiziatoria d'abbondanza. Nel 1767 uscì in Francia il famoso "Vermicellier" del Malouin, il primo trattato tecnico sulla pasta in assoluto.
In Italia i maestri artigiani si riconobbero in una vera "Regolazione d'Arte", che sanciva diritti e doveri riguardanti la produzione.
Sempre in questo periodo Francesco I, re delle due Sicilie, incaricò uno staff di ingegneri di trovare un sistema più funzionale che eliminasse l'antigienico e rozzo metodo d'impasto con i piedi.
Venne così ideato un braccio di bronzo che sostituiva il lavoro degli operai, e da allora il commercio della pasta, forte di un impulso nuovo, incominciò ad acquisire una grande importanza nell'economia italiana. Gli altri paesi iniziarono così ad etichettarci, ad accomunarci con facilonería al piatto nazionale di maccheroni, tanto che questo divenne un termine spregiativo nei confronti degli emigrati italiani all'estero.
Sarà stato per invidia o solo per pura rivalità economica, ma un americano, Thomas Jefferson, colui che sarebbe diventato più tardi presidente degli Stati

Uniti, venne in Italia nel 1789 e riuscì a portare di nascosto nel suo paese le sementi di un tipo particolare di riso piemontese, allora protettissimo, e a trafugare una macchina per vermicelli, che fu la prima in America.

Verso la metà del secolo XIX vennero introdotte a Napoli le prime macchine gramolatrici, che rendevano più elastico e resistente l'impasto già passato attraverso le macchine impastatrici, e più tardi il primo torchio idraulico, che permetteva di accelerare la produzione, e avviarne l'esportazione all'estero.

Da quei giorni la parabola economica della pasta ha fatto un cammino sempre progressivo e sempre positivo, raccogliendo favori e consensi. Ma non tutte le opinioni furono favorevoli verso questo "fenomeno", se così possiamo chiamarlo, tutto italiano.

Infatti, alcuni personaggi illustri come il Leopardi dapprima e Filippo Tommaso Marinetti, dopo, bollarono come "assurda" questa nostra religione gastronomica, simbolo di una vita vissuta solo per il piacere e l'allegria, feticcio di un'Italia, come al solito, bonaria e fracassona.

Dei nostri giorni, e frutto delle correnti moderne della dietetica, ma anche risultato di una pubblicità martellante per prodotti dimagranti e sostitutivi del pasto, sono le battaglie condotte da dietologi americani, contestatori di questo primo piatto.

Ma toglierci la pastasciutta sarebbe come privarci del gioco del calcio, della pizza, del Duomo di Milano, troppo "nostri" e così "unici" per poter essere rincattucciati.

FRUMENTO, FARINE, LAVORAZIONE, FRODI ALIMENTARI

Se il termine "farina" è piuttosto generico perché riguarda il prodotto derivante dalla macinazione dei chicchi di tutti i cereali e di alcuni tipi di leguminose (ad esempio la fecola di patate o la farina di ceci), parleremo d'ora in avanti di "farina bianca" per indicare la polvere ottenuta dalla molitura dei chicchi di frumento.

La cariosside del grano, cioè il chicco, è divisa in due parti:

— l'involucro esterno, il tegumento, *è la parte fibrosa che, eliminata durante la lavorazione, andrà a costituire la crusca; è un'area piuttosto ricca di vitamine, sali minerali e cellulosa;*

— la parte interna che si divide a sua volta in altre due zone: il germe *o* embrione, *molto ricco di grassi, proteine e vitamine, e l'*endosperma *che è la parte più fornita di amidi e in misura inferiore di vitamine.*

La farina bianca, risultato finale della lavorazione, si presenta fine e raffinata. In commercio molti nomi indicano i tipi di farina e si dice comunemente: "farina di tipo 4, 3, 2, 1 e ancora 0 e 00 (o fior di farina)", numeri questi che segnalano la percentuale via via minore di crusca presente. La più pura è quella "00" ed è riservata alla preparazione di dolci e paste speciali. Molto pregiata, ma soprattutto energetica ed oggi molto rivalutata, è la farina integrale, detta "Graham", che contiene tutte le sostanze nutritive del chicco.

Esistono due tipi principali di frumento: tenero *e* duro. *Il primo tipo è destinato alla panificazione e si differenzia dall'altro per la forma più grande, per la superficie più opaca e per il maggior contenuto di glutine (proteine).*

Il grano duro, più ricco di amido, è invece riservato alla preparazione delle paste alimentari. Trova il suo habitat naturale nelle zone meridionali dell'Italia, perché richiede un clima molto secco. La farina ottenuta dalla lavorazione del chicco di grano duro è detta "semola" ed ha un colore brunito ed una consistenza abbastanza granulosa. Il "semolato", che ha subito una diversa lavorazione, si presenta come polvere più fine.

La qualità delle paste secche è influenzata sia dalle miscele di semola impiegate, sia dalla quantità di glutine contenuto in esse. Il glutine è quella proteina che non si amalgama con l'acqua e che ha il potere di "agglutinare" l'amido, cioè di tenerlo unito, durante la fase d'impasto e di cottura.

Una farina ricca di glutine formerà una pasta molto resistente alla cottura e con la caratteristica, ma più che di una caratteristica si tratta di un vero e proprio requisito, di rimanere "al dente", come vuole la tradizione più verace.

Vista la presenza di glutine, insolubile e difficile da amalgamare nell'acqua, nell'industria la farina setacciata viene impastata con un sistema di presse automatiche, poi passata in una camera di compressione, da cui esce per essere tagliata nei vari formati. Come operazione finale abbiamo l'asciugatura, molto

importante perché controlla che la pasta non abbia un contenuto d'acqua superiore al 12,5%, oltre al quale ammuffirebbe facilmente.
Una pasta secca preparata secondo tutte le regole deve possedere alcuni importanti requisiti:
un colore giallo ambrato, una certa trasparenza (se osservata alla luce deve presentare qualche punteggiatura, segno della crusca residua); se si tratta di pasta lunga deve avere una buona elasticità; se è corta deve spezzarsi facilmente; l'acqua di cottura non dovrà presentare depositi di farina e anzi dovrà essere piuttosto limpida; la pasta deve "tenere la cottura", cioè non spappolarsi e non diventare collosa.
Per quanto riguarda le frodi, l'unica possibile è quella di mescolare la farina di grano duro con altre farine meno pregiate, ad esempio la fecola, ma al momento della cottura si scopre facilmente l'inganno.

VALORE NUTRITIVO

La pasta è universalmente conosciuta come un alimento altamente energetico, vista la notevole quantità di amidi che contiene, oltre alle proteine, al ferro e alle vitamine B_1 e PP.
I grassi sono presenti in misura ridotta, ma la loro quantità viene equilibrata dall'aggiunta di condimenti: salse, sughi e formaggi vari, che rendono la pasta un cibo completo.
Un maggior apporto nutritivo viene dato dalla pasta all'uovo che, oltre alle naturali proteine presenti nella semola di grano duro e nella farina bianca, dispone di quelle d'origine animale e di altre sostanze importanti per l'organismo. Per quanto riguarda la digeribilità delle paste occorre dire che il grado di cottura incide per buona parte: se la pasta è al dente si mastica di più ed impiega maggior tempo ad arrivare nello stomaco, se è troppo cotta e collosa, viene spesso deglutita senza essere masticata.
Altro fattore decisivo per una buona digestione è senz'altro il condimento usato: i succulenti ragù e le ricche salse hanno ben altro peso alimentare che un normale condimento al burro e formaggio.

COTTURA

La cottura delle paste alimentari non dovrebbe presentare alcuna difficoltà. Tuttavia è bene tener presenti alcune piccole attenzioni:

— l'acqua deve essere abbondante, calcolata all'incirca in misura di un litro per 100 grammi di pasta. Più acqua c'è, più è facile evitare che la pasta si addensi in un agglomerato colloso.

— Il sale va messo nell'acqua in ebollizione, prima di gettare la pasta: circa 10 grammi per litro e preferibilmente del tipo grosso.

— La pasta va buttata ad ebollizione vivace, poca per volta, in modo da sparpagliarla bene, e poi rimescolata con un forchettone o un cucchiaio di legno. Per mantenerla separata consigliamo di aggiungere all'acqua un cucchiaino d'olio d'oliva.

— Per una porzione normale si possono calcolare circa 80/100 grammi di pasta secca.

— Riguardo al tempo di cottura non è possibile dare delle indicazioni precise, perché dipende sia dal tipo di pasta usato, sia dal gusto personale. Comunque è sempre preferibile un buon piatto di pasta "al dente": dà più gusto, più soddisfazione, è più da... mordere.

— La pasta deve essere scolata appena pronta.

LA PASTA FATTA IN CASA

La pasta fatta in casa, una delle nostre più antiche tradizioni gastronomiche, evoca subito alla mente l'immagine di una cucina rustica, con un grande tavolo di legno al centro, il camino acceso, ed una massaia esperta intenta ad impastare con maestria un grande pane di pasta.
Una simile tradizione, pur così viva in alcune regioni italiane come la Puglia e la Sicilia, forma uno stridente contrasto con la visione dell'economia domestica di oggi, dove anche la preparazione dei cibi deve adeguarsi al ritmo frenetico della nostra società. Anzi, per la donna moderna che lavora e che ha sempre i minuti contati, la pasta industriale è proprio l'ideale, facile da cuocere, veloce da preparare, nutriente e sempre gradita.
Ma il sapore casereccio e genuino della pasta fatta in casa... le classiche tagliatelle, i tortellini, le lasagne, gli agnolotti... non può essere paragonato al gusto, sì buono, ma così "spiccio", degli spaghetti di tutti i giorni.
E poi, fatti bene i calcoli, 15 minuti per preparare la fontana, impastarla con gli altri ingredienti, mezz'ora per farla riposare, altri 15 minuti per tirare la sfoglia e tagliarla nella forma desiderata, infine la cottura, non è poi molto. Un'ora soltanto.
Certamente non tutti hanno la fortuna di avere mamme all'antica, bravissime nel preparare questi piatti genuini, e non tutti sono maestri della cucina, ma è anche vero che si può imparare e può essere un vero piacere.
In commercio sono reperibili vari tipi di macchinette che consentono di preparare da sole l'impasto, le sfoglie e i formati.
Comunque possiamo indicarvi alcune regole fondamentali che non si possono assolutamente dimenticare, e che magari, insieme con tutte le altre ricette, vi spingeranno a rivalutare questo nostro fantastico passato, che non è poi tanto passato:
— per prima cosa, la spianatoia è d'obbligo! La pasta dovrebbe essere sempre impastata sull'asse di legno e non su marmi o piani di formica;
— le uova da inserire nella farina vanno rotte nel centro della fontana ed incorporate dolcemente con le dita;
— il sale, secondo vecchie usanze romagnole, dovrebbe essere unito all'impasto, ma di solito si sparge sopra la farina;
— è molto importante che nel luogo di preparazione non vi siano correnti d'aria, per non far seccare la pasta, e non vi sia umidità;
— dopo aver impastato delicatamente la farina le uova e l'acqua, l'impasto deve essere lavorato energicamente per una decina di minuti, fino a quando diventa elastico e compatto.

Si modella in una palla, che deve essere lasciata riposare per un certo tempo stabilito, avvolta in un panno bagnato e strizzato.
Per appiattire con più facilità il pane di pasta in modo che possa essere tirato con il matterello, potrete dividere il panetto in più porzioni; mentre ne userete una, le altre dovranno rimanere sempre avvolte nel panno.
Se usate la macchinetta, passate i panetti di pasta, uno per volta, nella macchina diminuendo gradatamente la distanza tra i rulli. Una volta preparate le sfoglie, ritagliate la pasta in tagliatelle, lasagne o quello che desiderate, oppure, usando la macchina, mettete il rullo scanalato che preferite;
— ricordate di infarinare spesso l'asse durante la lavorazione, in modo che la pasta non attacchi.
— se dovete preparare cannelloni, ravioli o simili, ricordate di preparare prima il ripieno.
— un'ultima indicazione, che è però in realtà un consiglio antico, tramandatoci dalle nostre nonne: le uova ideali per la pasta hanno il guscio più scuro, il che significa: tuorli più sostanziosi.

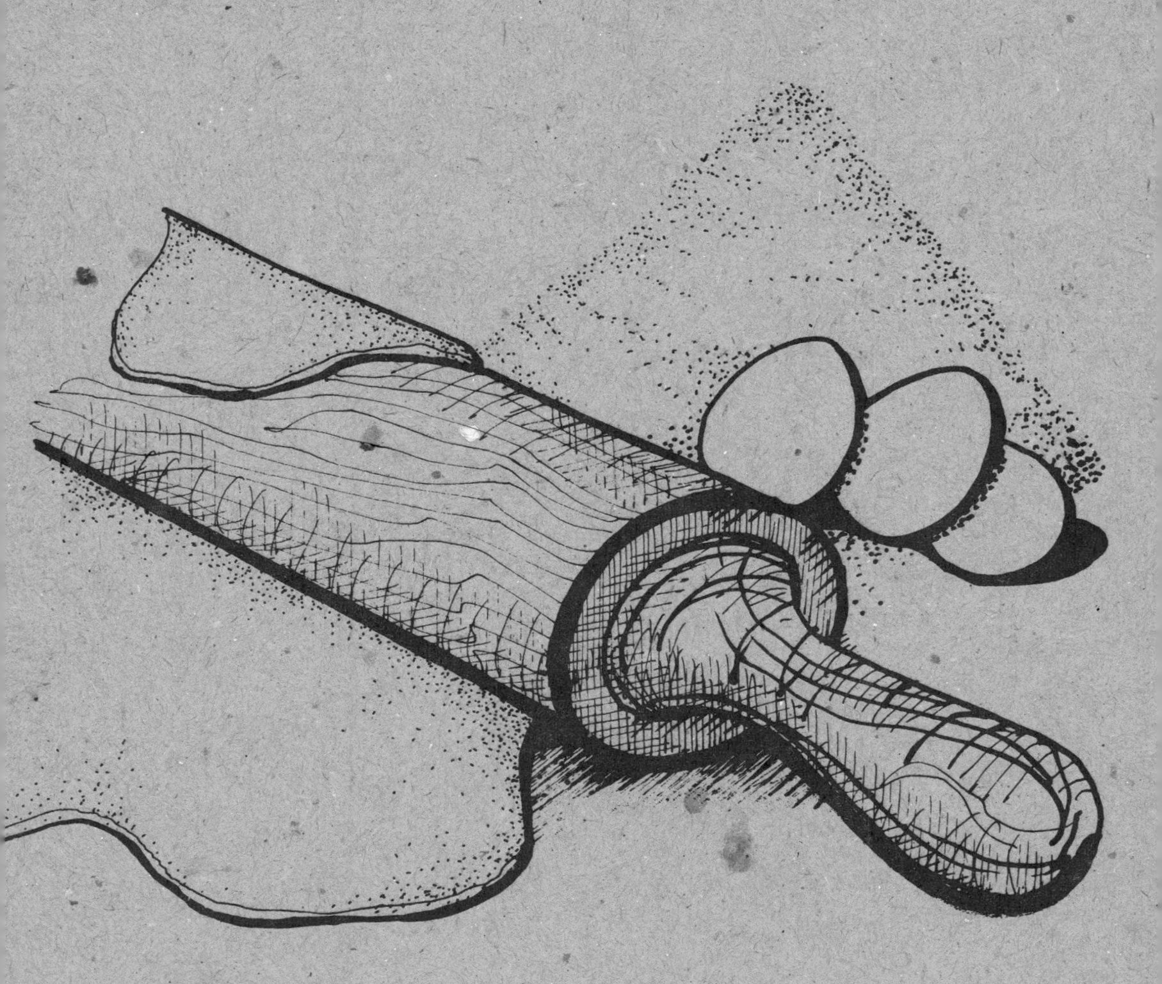

DOSI E PREPARAZIONE

Ma adesso è giunto proprio il momento di metterci all'opera.
Prepariamo un piatto di pasta fresca all'uovo di cui riportiamo le dosi sufficienti per quattro persone, se consumata asciutta, per sei, otto persone, se consumata in brodo.
Gli ingredienti necessari sono:

— 400 gr. di farina bianca più una piccola parte necessaria per infarinare più volte la spianatoia
— 4 uova
— sale

Disponete la farina setacciata a fontana sulla spianatoia.
Distribuite il sale e, nell'incavo centrale, rompete le uova.
Lavorate delicatamente con le dita, cercando di amalgamare la farina alle uova, fino a quando otterrete un composto omogeneo.
Infarinate ora la spianatoia e iniziate ad impastare abbastanza energicamente il pane di pasta, usando le palme delle mani.
Continuate così per una decina di minuti e quando vedrete formarsi sulla superficie delle bollicine d'aria, segno che la pasta è abbastanza elastica, lasciatela riposare, avvolta in un panno bagnato e strizzato, per mezz'ora.
Trascorso questo tempo, infarinate ancora la spianatoia, ponetevi la pasta e dividetela in tre o quattro panetti (così vi sarà più facile stenderli in una sfoglia).
Con il matterello tirate la sfoglia. Potrete naturalmente usare la macchinetta; farete allora passare la pasta attraverso il rullo liscio, usando dapprima misure più distanziate e poi sempre più vicine, fino ad arrivare alla giusta consistenza.
Quindi, sempre se usate la macchina, inserite il rullo relativo al tipo di pasta desiderato.
Dalla sfoglia tirata a mano potrete ritagliare tanti tipi di pasta: per preparare le tagliatelle, tagliate delle fettucce larghe circa 1 cm.; per le pappardelle usate la rotellina dentellata; per ravioli o cannelloni, ritagliate quadrati, rettangoli, triangoli e così via.
Potrete ricavare anche delle farfalline ritagliando sulla pasta dei piccoli rettangoli dentellati che poi schiaccerete nel mezzo, dando la forma caratteristica.
Forse non siete ancora abbastanza convinti e continuate a pensare che la preparazione della pasta fatta in casa sia solo dominio dei grandi cuochi o delle migliori massaie, ma secondo noi cominciate a sentire la voglia di provare... a impastare anche voi farina e uova.
Ma, attenzione, è molto più di un gioco!

TIPI DI PASTA

Gli innumerevoli tipi di pasta in commercio possono essere classificati in tre gruppi principali:

— **paste lunghe:** spaghetti, linguine, vermicelli, bucatini, capellini, zite, bavette, maccheroni...

— **paste corte:** *penne, mezze penne, maccheroncini, rigatoni, conchiglie, pipe, torciglioni, farfalle...*

— **pastine:** *capelli d'angelo, anellini, stelline, quadratini, acini di pepe...*

Non abbiamo nominato tutte le altre paste tipicamente regionali che hanno una loro storia e una loro tradizione: le famose orecchiette pugliesi, i fusilli, le pappardelle, le trenette, le tagliatelle, per non parlare di ravioli o cannelloni tipici.

Comunque vi illustreremo minuziosamente ognuno di questi piatti, più avanti.

Oltre alla pasta secca vera e propria, cioè ottenuta con farina e acqua, troviamo le paste ottenute con l'aggiunta di uova che distinguiamo in: pasta all'uovo, *che contiene 5 uova per ogni kg. di semola, e* pasta con uova, *con almeno 2 uova per kg.*

Vi sono poi le paste colorate, ottenute aggiungendo all'impasto spinaci, barbabietole, zucca, pomodoro, cacao, e quelle arricchite con glutine o plasmon.

spaghetti, bucatini, vermicelli e C.

INGREDIENTI PER 4 PERSONE:

400 gr. di spaghetti
8 cucchiai d'olio
2 spicchi d'aglio
1 peperoncino rosso
(oppure abbondante pepe pestato nel mortaio)
prezzemolo tritato.

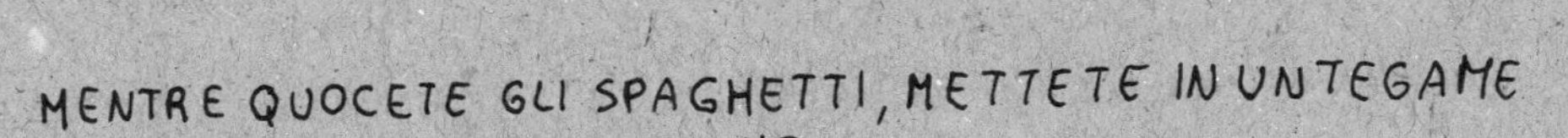

MENTRE QUOCETE GLI SPAGHETTI, METTETE IN UN TEGAME AGLIO, OLIO E PEPERONCINO.
APPENA L'AGLIO IMBIONDISCE LA SALSA È PRONTA, LA VERSERETE SUGLI SPAGHETTI SCOLATI.
PRIMA DI SERVIRE COSPARGETE GLI SPAGHETTI CON IL PREZZEMOLO TRITATO E MESCOLATE BENE.

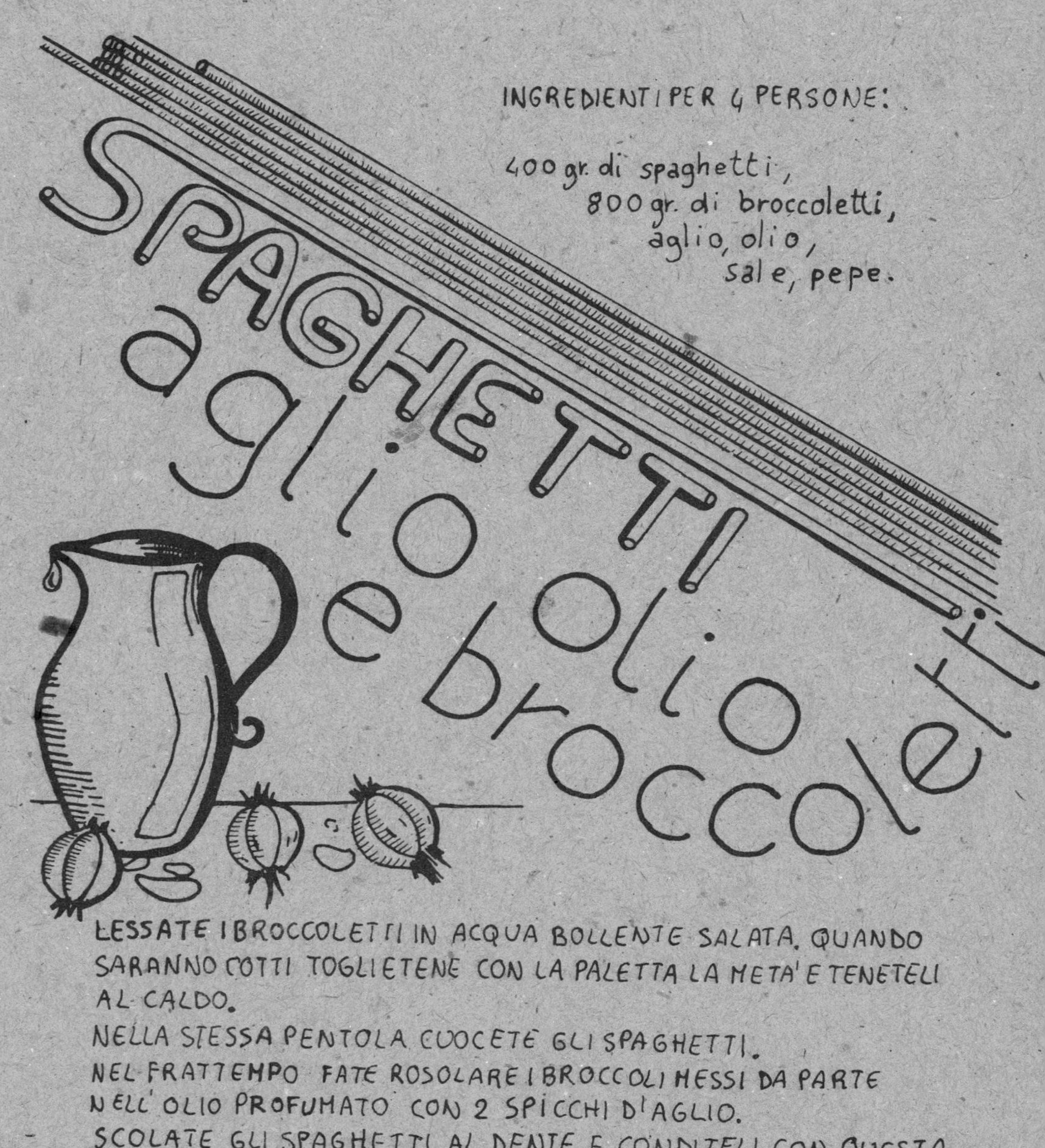

LESSATE I BROCCOLETTI IN ACQUA BOLLENTE SALATA. QUANDO SARANNO COTTI TOGLIETENE CON LA PALETTA LA META' E TENETELI AL CALDO.
NELLA STESSA PENTOLA CUOCETE GLI SPAGHETTI.
NEL FRATTEMPO FATE ROSOLARE I BROCCOLI MESSI DA PARTE NELL'OLIO PROFUMATO CON 2 SPICCHI D'AGLIO.
SCOLATE GLI SPAGHETTI AL DENTE E CONDITELI CON QUESTA SALSA CHE EVENTUALMENTE POTRETE INSAPORIRE CON QUALCHE FILETTO D'ACCIUGA E PEPE.

SPAGHETTI al PECORINO

INGREDIENTI PER 4 PERSONE:
400 gr. di spaghetti
80 gr. di pecorino grattugiato
1 cucchiaio di pepe pestato nel mortaio, sale.

LESSATE GLI SPAGHETTI E SGOCCIOLATELI AL DENTE. A QUESTO PUNTO COSPARGETE GLI SPAGHETTI CON IL PECORINO, IL PEPE E QUALCHE CUCCHIAIO D'ACQUA DI COTTURA.
RIMESCOLATE BENE E SERVITE.

SPAGHETTI alla MATERANA

INGREDIENTI PER 4 PERSONE:

400 gr. di spaghetti
4 cucchiai di capperi
pane grattugiato
3 olive nere
8 acciughe
sale
olio

PER PREPARARLI:

SNOCCIOLA LE OLIVE E TRITALE ASSIEME AI CAPPERI E ALLE ACCIUGHE AMALGAMA TUTTO CON UN CUCCHIAIO D'OLIO.

FAI BOLLIRE GLI SPAGHETTI, A METÀ COTTURA SCOLALI E MESCOLALI CON IL TRITO.
COPRI IL FONDO DI UNA PADELLA CON OLIO, QUANDO QUEST'ULTIMO SARÀ BEN CALDO, FAI CADERE A PIOGGIA IL PANE GRATTUGIATO, FACENDO ATTENZIONE CHE SI DISTRIBUISCA IN MODO UNIFORME.
QUANDO IL PANE SARÀ TOSTATO, UNISCI LA PASTA E DISTRIBUISCILA BENE SU TUTTA LA SUPERFICIE SPIANANDOLA CON UNA FORCHETTA

LASCIA CUOCERE LA PASTA PER 10-15 MINUTI, QUINDI ROVESCIALA SU DI UN PIATTO COME SE FOSSE UNA FRITTATA.
PREPARA NUOVAMENTE OLIO E PANE GRATTUGIATO COME LA PRIMA VOLTA, FACCI SCIVOLARE SOPRA LA PASTA E CUOCILA ANCHE DALL'ALTRA PARTE. SERVILA BEN CALDA E ... BUON APPETITO!

SPAGHETTI

INGREDIENTI PER 4 PERSONE: 400 gr. di spaghetti; pane grattugiato; 2 spicchi d'aglio; 1 manciata di prezzemolo; 1 cipolla affettata; origano; olio d'oliva; sale e pepe.

IN UNA PADELLA METTETE A SOFFRIGGERE IN MEZZO BICCHIERE D'OLIO, UN TRITO DI AGLIO E PREZZEMOLO E LA CIPOLLA AFFETTATA; QUANDO LA CIPOLLA SARÀ COTTA, SPOLVERIZZATE CON PEPE E ORIGANO. IN UN TEGAME FATE TOSTARE DUE CUCCHIAI DI PANE GRATTUGIATO CON SALE E POCO OLIO. LESSATE GLI SPAGHETTI E SCOLATELI AL DENTE, POI METTETELI NELLA PADELLA CON IL CONDIMENTO E FATELI INSAPORIRE PER QUALCHE MINUTO, PRIMA DI ROVESCIARLI SUL PIATTO DI PORTATA; INFINE COSPARGETE COL PANE TOSTATO.

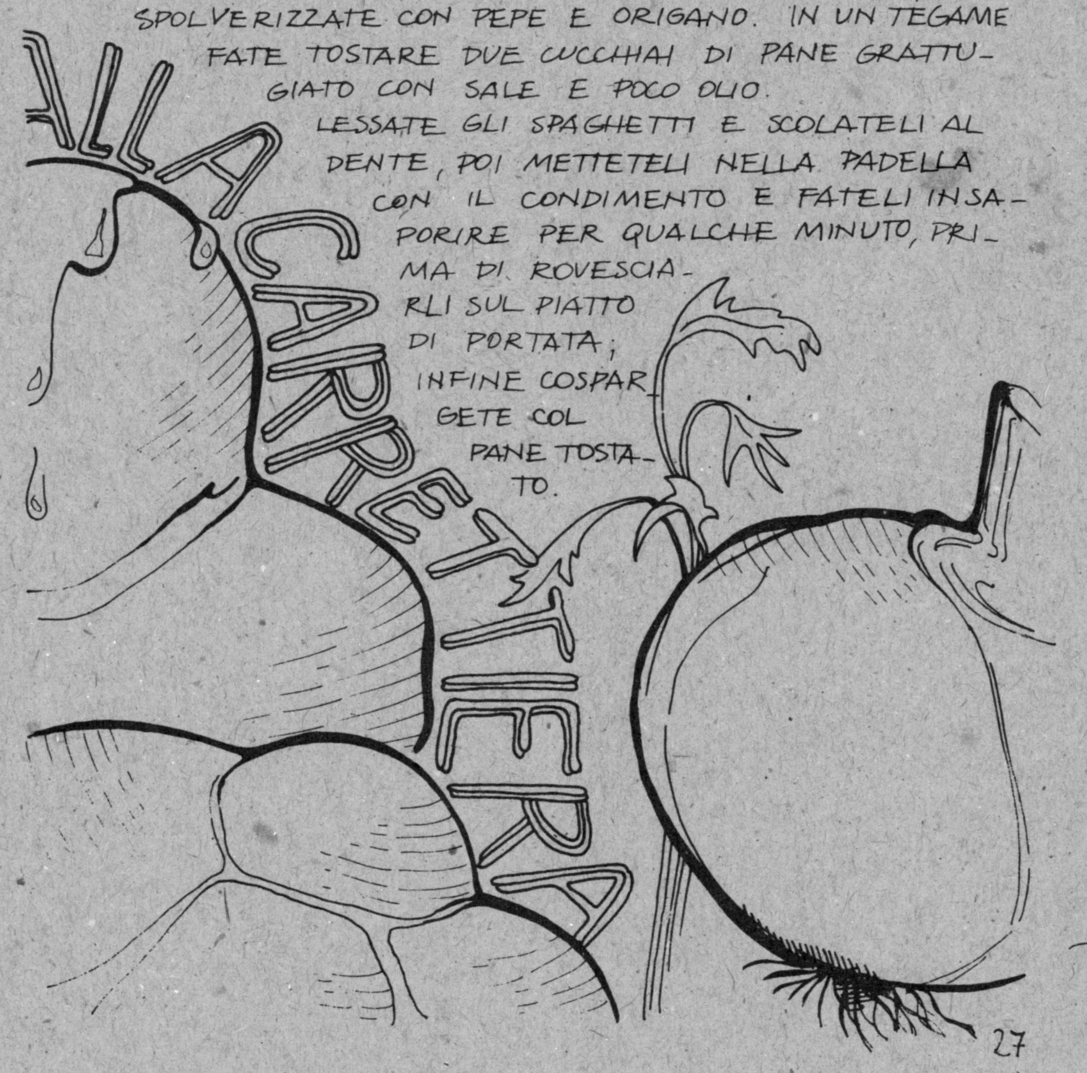

Spaghetti alla carbonara

INGREDIENTI:

400 gr. di spaghetti
4 uova
150 gr di pancetta
50 gr. di pecorino
50 gr. di parmigiano grattugiato
olio di oliva
sale
pepe

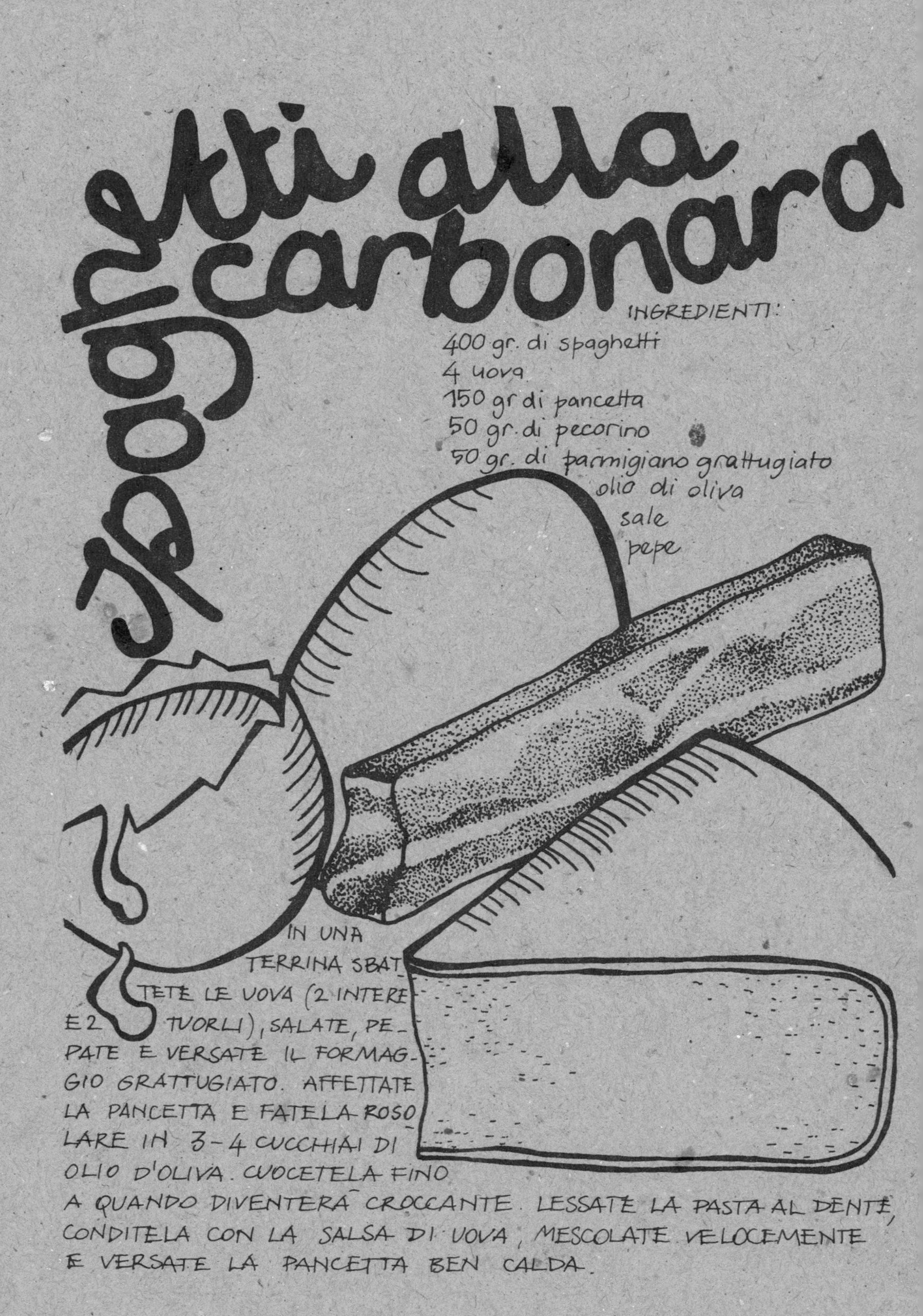

IN UNA TERRINA SBATTETE LE UOVA (2 INTERE E 2 TUORLI), SALATE, PEPATE E VERSATE IL FORMAGGIO GRATTUGIATO. AFFETTATE LA PANCETTA E FATELA ROSOLARE IN 3-4 CUCCHIAI DI OLIO D'OLIVA. CUOCETELA FINO A QUANDO DIVENTERÀ CROCCANTE. LESSATE LA PASTA AL DENTE, CONDITELA CON LA SALSA DI UOVA, MESCOLATE VELOCEMENTE E VERSATE LA PANCETTA BEN CALDA.

INGREDIENTI:
500 gr. di spaghetti
150 gr. di burro
50 gr. di parmigiano
150 gr. di mozzarella
sale
MOZZARELLA
LESSATE GLI SPAGHETTI IN ACQUA SALATA. VERSATELI IN UNA TERRINA IN CUI AVRETE POSTO IL BURRO E SPOLVERIZZATELI CON IL PARMIGIANO. MESCOLATE BENE E AGGIUNGETE LA MOZZARELLA TAGLIATA A DADINI. IMBURRATE UNA TEGLIA, METTETECI GLI SPAGHETTI CON IL LORO CONDIMENTO E INFORNATELI A TEMPERATURA MODERATA FINO A FAR FONDERE LA MOZZARELLA, ESTRAETE DAL FORNO E SERVITE SUBITO.

LAVATE LE MELANZANE, TAGLIATELE A DADINI E PONETELE NELLO SCOLAPASTA COSPARSE CON UN PO' DI SALE GROSSO. NEL FRATTEMPO ARROSTITE IL PEPERONE SULLA GRIGLIA, ELIMINATE LA PELLICINA E TAGLIATELO A STRISCIOLINE. SCOLATE LE MELANZANE, STRIZZATELE E FATELE SOFFRIGGERE IN 4 CUCCHIAI D'OLIO. UNITE IL PEPERONE, IL BASILICO TRITATO, LE OLIVE, I CAPPERI E I FILETTI D'ACCIUGA. FATE INSAPORIRE BENE LE VERDURE, PRIMA DI AGGIUNGERE LA POLPA DI POMODORO. REGOLATE DI SALE E PEPE E PORTATE A COTTURA. CUOCETE LA PASTA AL DENTE E CONDITELA CON LA SALSA. SE LO DESIDERATE, POTETE COMPLETARE CON UNA MANCIATA DI PECORINO GRATTUGIATO.

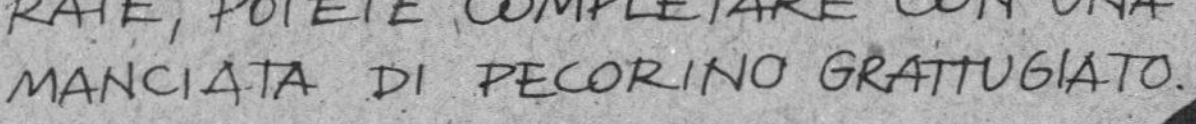

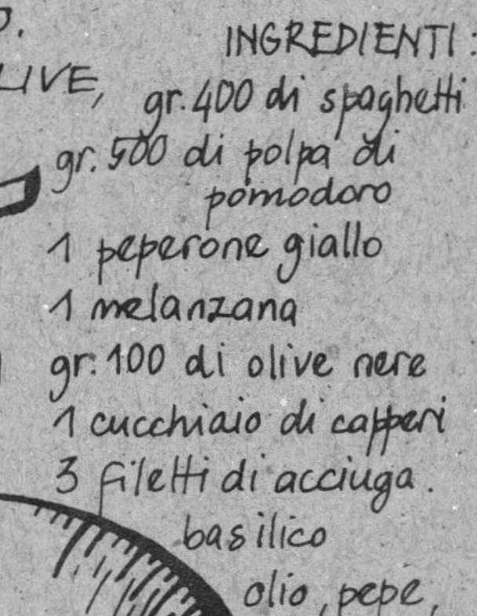

INGREDIENTI:

gr. 400 di spaghetti
gr. 500 di polpa di pomodoro
1 peperone giallo
1 melanzana
gr. 100 di olive nere
1 cucchiaio di capperi
3 filetti di acciuga.
basilico
olio, pepe, sale

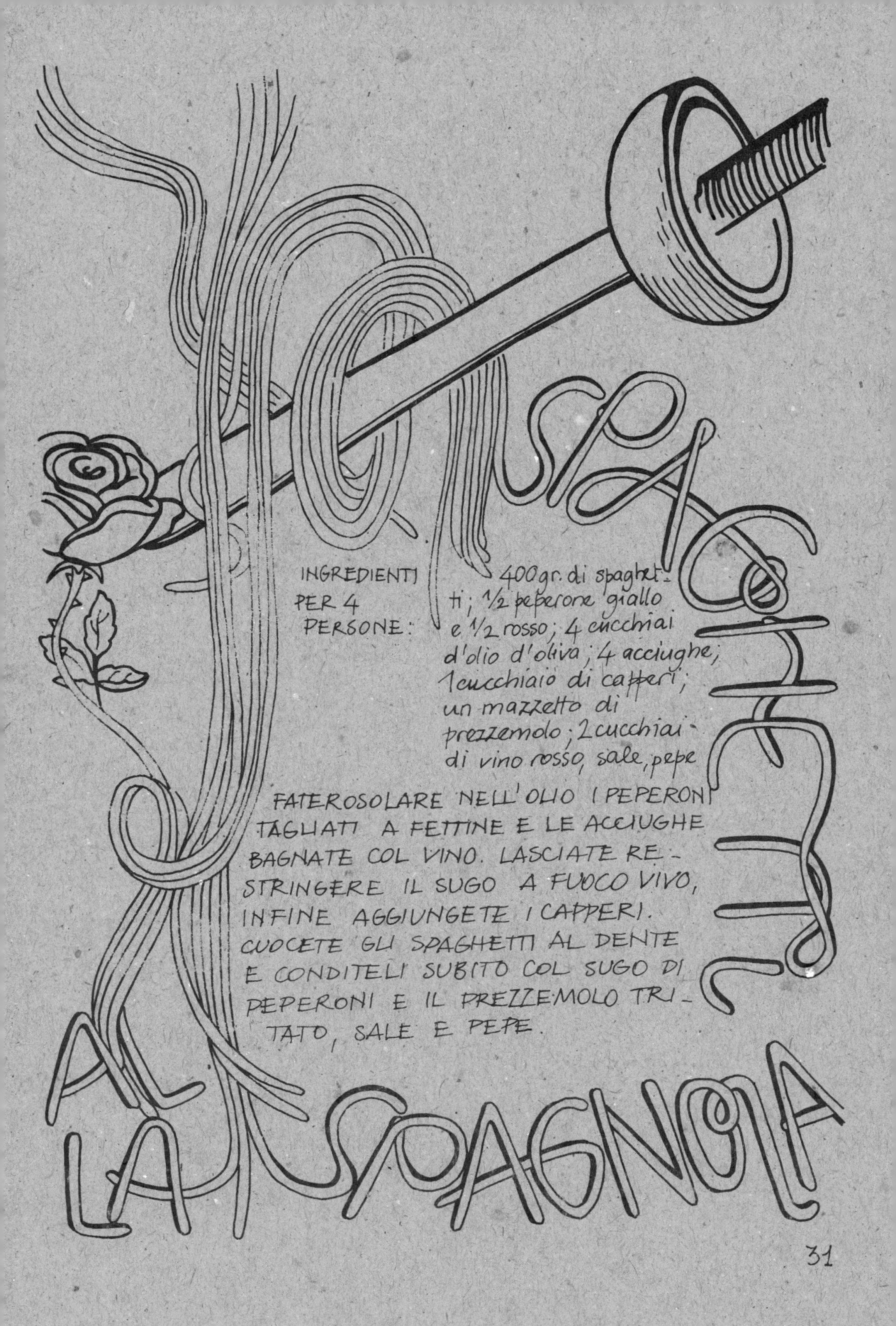
SPAGHETTI
ALLA SPAGNOLA
INGREDIENTI PER 4 PERSONE:
400 gr. di spaghetti; 1/2 peperone giallo e 1/2 rosso; 4 cucchiai d'olio d'oliva; 4 acciughe; 1 cucchiaio di capperi; un mazzetto di prezzemolo; 2 cucchiai di vino rosso, sale, pepe
FATE ROSOLARE NELL'OLIO I PEPERONI TAGLIATI A FETTINE E LE ACCIUGHE BAGNATE COL VINO. LASCIATE RESTRINGERE IL SUGO A FUOCO VIVO, INFINE AGGIUNGETE I CAPPERI. CUOCETE GLI SPAGHETTI AL DENTE E CONDITELI SUBITO COL SUGO DI PEPERONI E IL PREZZEMOLO TRITATO, SALE E PEPE.

SPAGHETTI ALLA RUSTICO

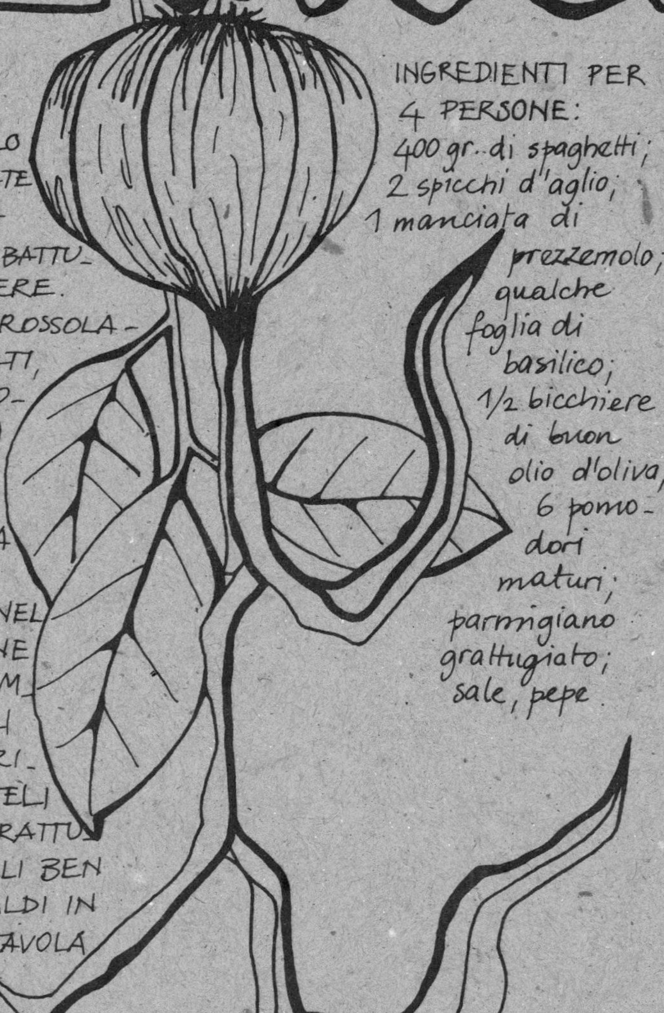

TRITATE FINEMENTE INSIEME GLI SPICCHI D'AGLIO, IL PREZZEMOLO E IL BASILICO. VERSATE L'OLIO IN UNA LARGA PADELLA, VERSATE IL BATTUTO E FATE SOFFRIGGERE. UNITE I POMODORI GROSSOLANAMENTE SMINUZZATI, SALATE, PEPATE E CUOCETE PER UNA DECINA DI MINUTI.
LESSATE GLI SPAGHETTI IN ABBONDANTE ACQUA SALATA; SCOLATELI AL DENTE E PASSATELI NEL SUGO. MESCOLATE BENE TENENDO BASSA LA FIAMMA IN MODO CHE GLI SPAGHETTI S'INSAPORISCANO; SPOLVERIZZATELI CON PARMIGIANO GRATTUGIATO E SERVITELI BEN CALDI IN TAVOLA

INGREDIENTI PER 4 PERSONE:
400 gr.. di spaghetti;
2 spicchi d'aglio;
1 manciata di prezzemolo;
qualche foglia di basilico;
1/2 bicchiere di buon olio d'oliva;
6 pomodori maturi;
parmigiano grattugiato;
sale, pepe

SPAGHETTI ALLA CAPRESE

DA NAPOLI CI GIUNGE QUESTO PIATTO TIPICO.

FATE SCOTTARE PER QUALCHE MINUTO I POMODORI IN ACQUA BOLLENTE PER TOGLIERE MEGLIO LA PELLE E I SEMI. POI TAGLIATELI A PEZZETTI. FATELI CUOCERE A FUOCO BASSO IN UN TEGAME CON 3 CUCCHIAI DI OLIO, INSAPORENDO CON SALE E PEPE. NEL FRATTEMPO IN UN MORTAIO PESTATE LE ACCIUGHE, IL TONNO E LE OLIVE NERE. QUINDI FATE SCALDARE QUESTA PUREA PER QUALCHE MINUTO IN UN TEGAME CON DELL'OLIO. LESSATE GLI SPAGHETTI MOLTO AL DENTE, COME RICHIEDE LA PIÙ ANTICA TRADIZIONE NAPOLETANA E CONDITELI IN UNA TERRINA CON LA SALSA DI POMODORI, LA PUREA DI TONNO, OLIVE, ACCIUGHE E LA MOZZARELLA TAGLIATA A DADINI. MESCOLATE IL TUTTO DISTRIBUENDO UNA SPOLVERATINA DI PEPE MACINATA AL MOMENTO. QUINDI SERVITE.

INGREDIENTI PER 4 PERSONE:

400 gr. di spaghetti;
1/2 bicchiere di olio d'oliva;
500 gr di pomodori maturi;
5 acciughe diliscate e ben lavate;
100 gr di tonno sott'olio
60 gr. di olive nere snocciolate;
200 gr. di mozzarella a dadini;
sale; pepe

SPAGHETTI

INGREDIENTI PER 4 PERSONE:

400 gr. di spaghetti
350 gr. di melanzane carnose
500 gr. di pomodori pelati spezzettati
una manciatina di foglie di basilico tritate
uno spicchio d'aglio schiacciato
abbondante ricotta salata grattugiata
olio d'oliva
sale e pepe

IL "SUGO ALLA NORMA", SINGOLARE RICONOSCIMENTO DA PARTE DEI CATANESI AL LORO POPOLARE MUSICISTA BELLINI È CONOSCIUTO IN TUTTA ITALIA ED È CARATTERIZZATO DALLO STRATO FINALE DI MELANZANE FRITTE.

A CATANIA LE MELANZANE VENGONO TAGLIATE IN UN MODO PARTICOLARE CHE LE FA ASSOMIGLIARE A DEGLI UCCELLI IN VOLO. LAVATELE E TAGLIATELE A FETTE MOLTO SOTTILI CHE METTERETE IN UN PIATTO INCLINATO, COSPARSE DI SALE GROSSO, PER QUASI UN'ORA, IN MODO CHE PERDANO LA LORO ACQUA DAL GUSTO AMAROGNOLO.

ALLA NORMA

PREPARATE IN TEMPO UTILE IL SUGO FACENDO IMBIONDIRE IN 6 CUCCHIAIATE D'OLIO D'OLIVA L'AGLIO (CHE POI TOGLIERETE). UNITE I POMODORI, MESCOLANDO CON UN CUCCHIAIO DI LEGNO. REGOLATE DI SALE E PEPE E LASCIATE CUOCERE PER UNA VENTINA DI MINUTI A FUOCO MODERATO.
ALL'ULTIMO MOMENTO UNITE IL TRITO DI BASILICO.
NEL FRATTEMPO, TRASCORSA L'ORA, FATE FRIGGERE LE FETTE DI MELANZANE NELL'OLIO BOLLENTE.
DORATELE DA ENTRAMBE LE PARTI E POI SGOCCIOLATELE (NON SALATELE, PERÒ, FINO AL MOMENTO DI SERVIRE).
LESSATE GLI SPAGHETTI IN ABBONDANTE ACQUA SALATA E SCOLATELI AL DENTE.
CONDITELI CON IL SUGO DI POMODORI E CON UNA BUONA MANCIATA DI RICOTTA GRATTUGIATA.
IN UN PIATTO DA PORTATA DISPONETE LA PASTA RICOPERTA DA UNO STRATO DI MELANZANE FRITTE, SALATE ALL'ULTIMO MOMENTO, E ANCORA RICOTTA.

Spaghetti d'estate

INGREDIENTI PER 4 PERSONE:
400 gr. di spaghetti; 2 cipollette affettate sottilmente; un trito preparato con 2 gambe di sedano tenere, 2 carote, qualche foglia di basilico, un ciuffo di prezzemolo; 3 pomodori perini spellati e senza semi tagliati a pezzetti; una manciata di olive nere snocciolate e tritate; una manciata di capperi; 1 peperone giallo; 2 acciughe diliscate e tagliuzzate; 1/2 bicchiere d'olio d'oliva; 1 punta di zucchero; 3 cucchiai di vino bianco secco; sale e pepe.

IN UNA CASSERUOLA CON L'OLIO D'OLIVA FATE IMBIONDIRE LE CIPOLLETTE AFFETTATE. VERSATE IL TRITO DI SEDANO, CAROTA, BASILICO, PREZZEMOLO E I POMODORI SPEZZETTATI. MESCOLATE ED INSAPORITE CON SALE, PEPE E ZUCCHERO. A FUOCO BASSO FATE ADDENSARE LA SALSINA AGGIUNGENDO 3 CUCCHIAI DI VINO BIANCO. LAVATE IL PEPERONE E DOPO AVERLO POSTO SULLA FIAMMA, TOGLIETE LA PELLICINA ABBRUSTOLITA, IL TORSOLO, I SEMINI E TAGLIATELO A LISTARELLE. NEL FRATTEMPO AVRETE FATTO LESSARE GLI SPAGHETTI; MESCOLATELI IN UNA ZUPPIERA CON IL PEPERONE, LE OLIVE E LA SALSA RAFFREDDATA. VERSATE ANCORA UN GOCCIO D'OLIO D'OLIVA CRUDO E SERVITE ANCHE COME PIATTO FREDDO.

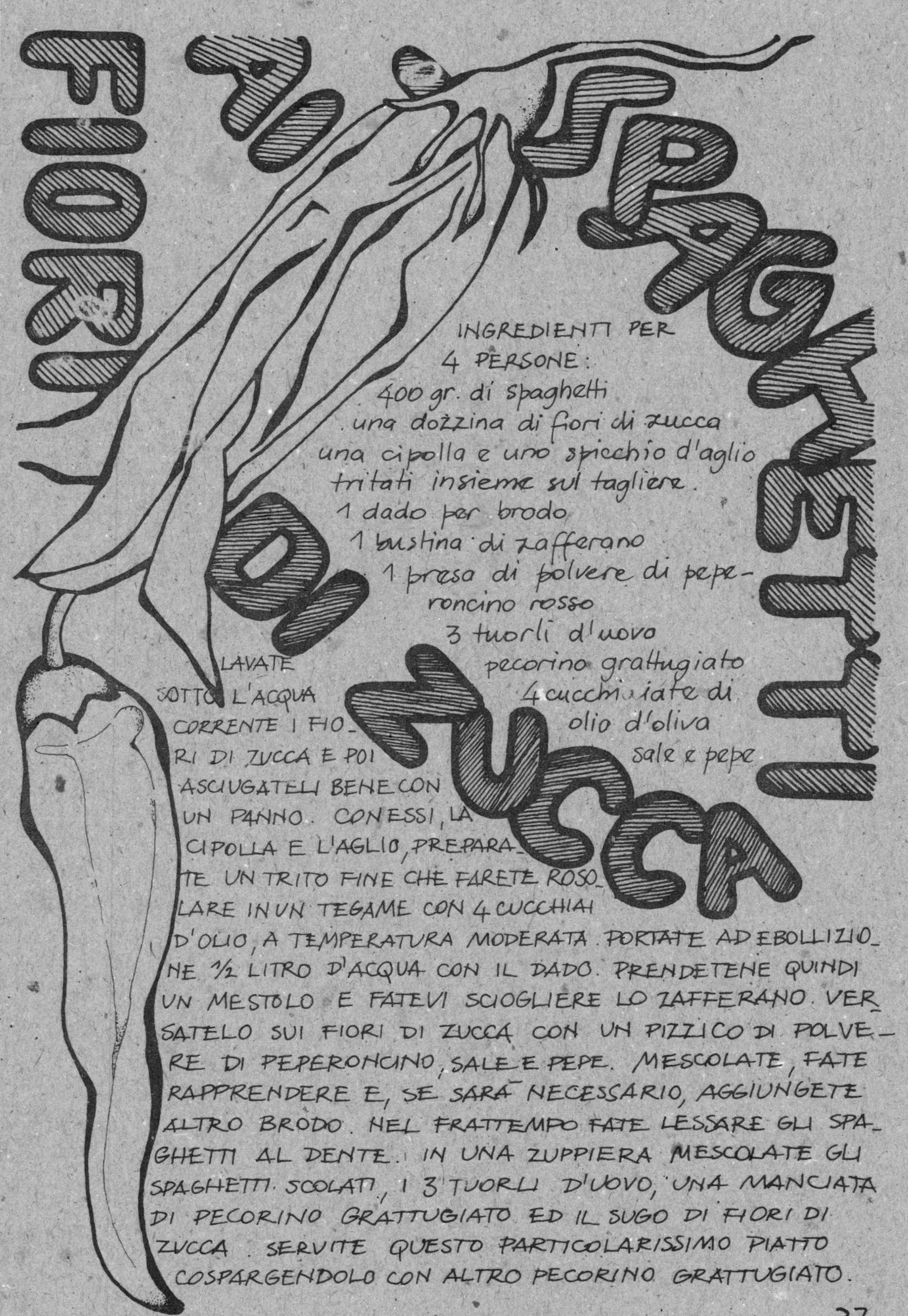

SPAGHETTI AI FIORI DI ZUCCA

INGREDIENTI PER 4 PERSONE:

400 gr. di spaghetti
una dozzina di fiori di zucca
una cipolla e uno spicchio d'aglio tritati insieme sul tagliere.
1 dado per brodo
1 bustina di zafferano
1 presa di polvere di peperoncino rosso
3 tuorli d'uovo
pecorino grattugiato
4 cucchiaiate di olio d'oliva
sale e pepe

LAVATE SOTTO L'ACQUA CORRENTE I FIORI DI ZUCCA E POI ASCIUGATELI BENE CON UN PANNO. CON ESSI, LA CIPOLLA E L'AGLIO, PREPARATE UN TRITO FINE CHE FARETE ROSOLARE IN UN TEGAME CON 4 CUCCHIAI D'OLIO, A TEMPERATURA MODERATA. PORTATE AD EBOLLIZIONE 1/2 LITRO D'ACQUA CON IL DADO. PRENDETENE QUINDI UN MESTOLO E FATEVI SCIOGLIERE LO ZAFFERANO. VERSATELO SUI FIORI DI ZUCCA CON UN PIZZICO DI POLVERE DI PEPERONCINO, SALE E PEPE. MESCOLATE, FATE RAPPRENDERE E, SE SARÀ NECESSARIO, AGGIUNGETE ALTRO BRODO. NEL FRATTEMPO FATE LESSARE GLI SPAGHETTI AL DENTE. IN UNA ZUPPIERA MESCOLATE GLI SPAGHETTI SCOLATI, I 3 TUORLI D'UOVO, UNA MANCIATA DI PECORINO GRATTUGIATO ED IL SUGO DI FIORI DI ZUCCA. SERVITE QUESTO PARTICOLARISSIMO PIATTO COSPARGENDOLO CON ALTRO PECORINO GRATTUGIATO.

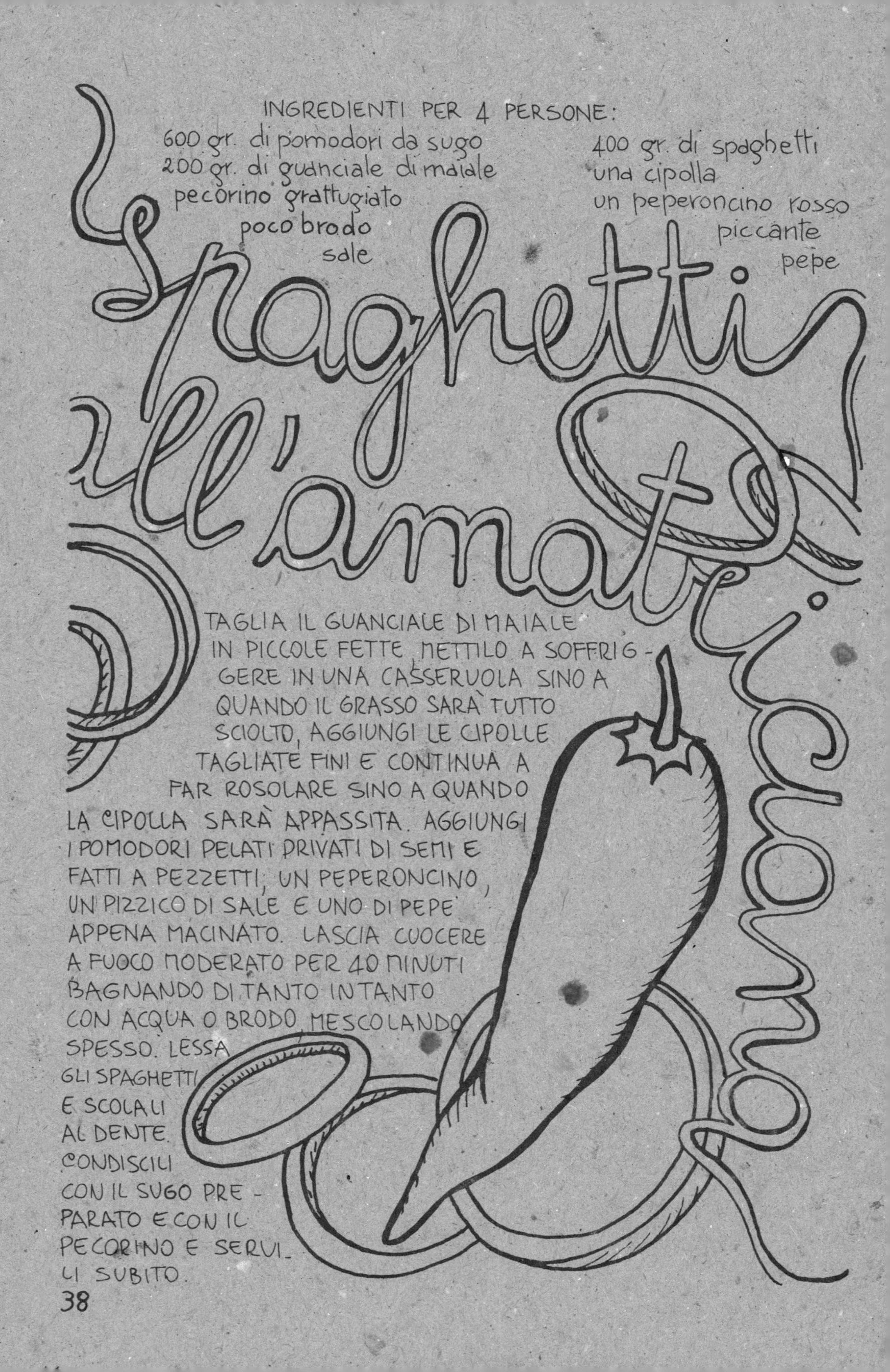
Spaghetti all'amatriciana
INGREDIENTI PER 4 PERSONE:
600 gr. di pomodori da sugo
200 gr. di guanciale di maiale
pecorino grattugiato
poco brodo
sale
400 gr. di spaghetti
una cipolla
un peperoncino rosso piccante
pepe
TAGLIA IL GUANCIALE DI MAIALE IN PICCOLE FETTE METTILO A SOFFRIGGERE IN UNA CASSERUOLA SINO A QUANDO IL GRASSO SARÀ TUTTO SCIOLTO, AGGIUNGI LE CIPOLLE TAGLIATE FINI E CONTINUA A FAR ROSOLARE SINO A QUANDO LA CIPOLLA SARÀ APPASSITA. AGGIUNGI I POMODORI PELATI PRIVATI DI SEMI E FATTI A PEZZETTI, UN PEPERONCINO, UN PIZZICO DI SALE E UNO DI PEPE APPENA MACINATO. LASCIA CUOCERE A FUOCO MODERATO PER 40 MINUTI BAGNANDO DI TANTO IN TANTO CON ACQUA O BRODO MESCOLANDO SPESSO. LESSA GLI SPAGHETTI E SCOLALI AL DENTE. CONDISCILI CON IL SUGO PREPARATO E CON IL PECORINO E SERVILI SUBITO.

SPAGHETTI con le ALICI

INGREDIENTI:
400 gr. di spaghetti
2 spicchi di aglio
prezzemolo
olio, sale, pepe

400 gr. di alici freschissime
2 cucchiai di pane grattugiato

LAVATE ACCURATAMENTE LE ALICI, ELIMINATE LA TESTA E LE LISCHE RICAVANDONE DEI FILETTI.
IN UNA LARGA PADELLA SCALDATE 4 CUCCHIAI DI OLIO DI OLIVA, UNITE UNA MANCIATA DI PREZZEMOLO TRITATO CON GLI SPICCHI DI AGLIO E IL PANE GRATTUGIATO.
FATE SOFFRIGGERE QUALCHE MINUTO, VERSATE LE ALICI E SPEZZETTATELE CON LA FORCHETTA, SALATE E PEPATE.
LESSATE GLI SPAGHETTI AL DENTE, TRASFERITELI NELLA PADELLA CON IL SUGO, DATE UNA RIGIRATA E SERVITE IMMEDIATAMENTE.

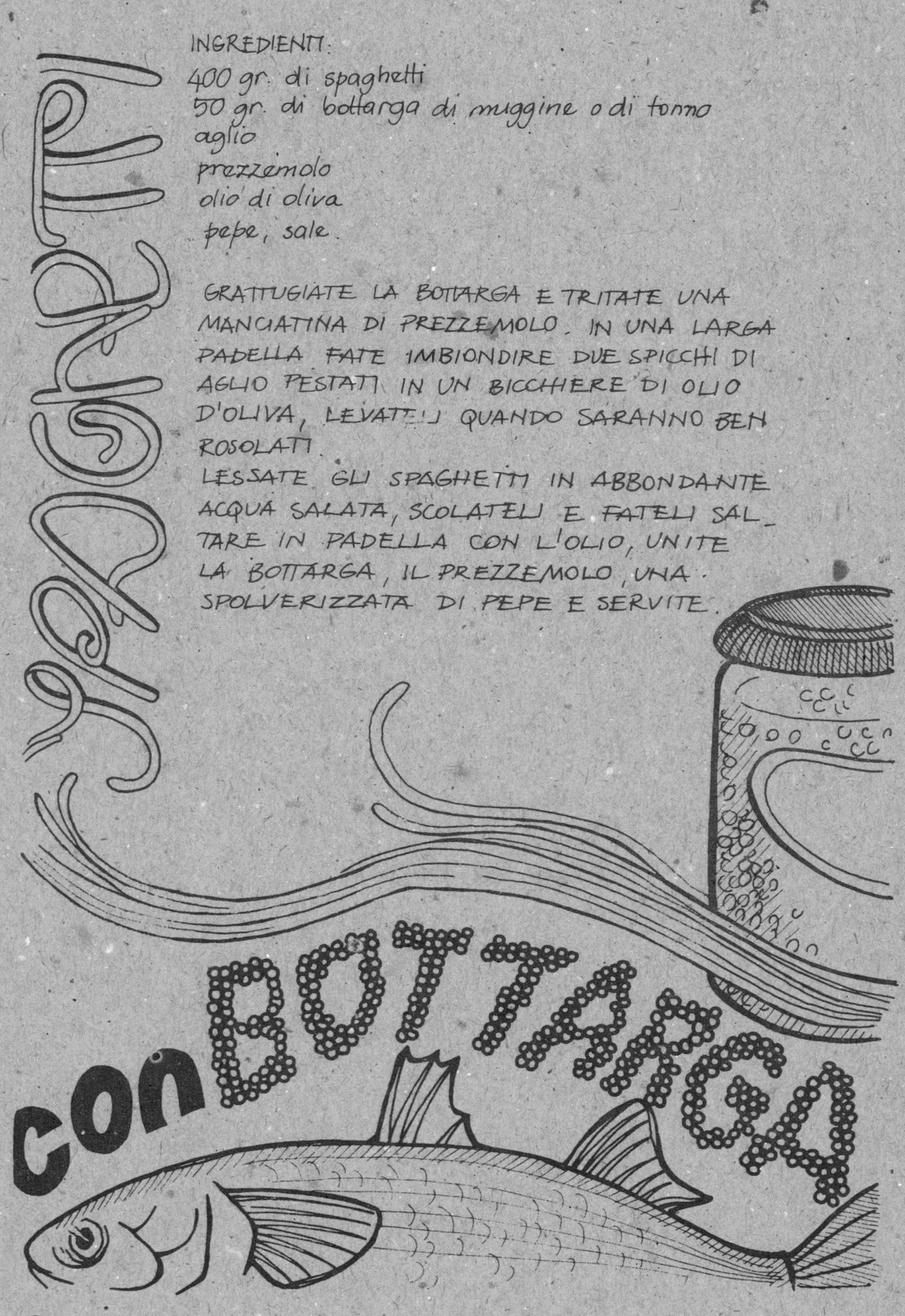

INGREDIENTI:

400 gr. di spaghetti
50 gr. di bottarga di muggine o di tonno
aglio
prezzemolo
olio di oliva
pepe, sale.

GRATTUGIATE LA BOTTARGA E TRITATE UNA MANCIATINA DI PREZZEMOLO. IN UNA LARGA PADELLA FATE IMBIONDIRE DUE SPICCHI DI AGLIO PESTATI IN UN BICCHIERE DI OLIO D'OLIVA, LEVATELI QUANDO SARANNO BEN ROSOLATI.
LESSATE GLI SPAGHETTI IN ABBONDANTE ACQUA SALATA, SCOLATELI E FATELI SALTARE IN PADELLA CON L'OLIO, UNITE LA BOTTARGA, IL PREZZEMOLO, UNA SPOLVERIZZATA DI PEPE E SERVITE.

SPAGHETTI

INGREDIENTI PER 4 PERSONE:

1 Kg. di cozze (o mitili)
400 gr. di spaghetti
1 mazzetto di prezzemolo
1 peperoncino rosso piccante
1 spicchio d'aglio.
olio d'oliva
sale quanto basta.

ALLE COZZE

PULITE LE COZZE E METTETELE IN UN TEGAME PER FARLE APRIRE SUL FUOCO.
NON APPENA APERTE, SGUSCIATELE E METTETE DA PARTE IL LIQUIDO RIMASTO NEL TEGAME.
TRITATE UNA MANCIATA DI COZZE E CON LE ALTRE RIMASTE PREPARATE UNA "SCOTTATA" IN UN TEGAME UNTO D'OLIO ... E ALLUNGATELA CON IL LIQUIDO DI COZZE. UNITE QUINDI IL TRITO DI PREZZEMOLO, AGLIO E PEPERONCINO E LASCIATE CUOCERE PER 5 MINUTI.
FATE CUOCERE AL DENTE GLI SPAGHETTI, SCOLATELI BENE E CONDITELI NEL TEGAME DEL SUGO, RIGIRANDOLI PER ALCUNI MINUTI.
SERVITE CALDO.

INGREDIENTI
PER 4 PERSONE:
400 gr. di spaghetti
1 kg. di frutti di mare (telline, dalteri, vongole ecc.)
3 pomodori freschi, un ciuffo di prezzemolo,
3 spicchi d'aglio, 5 cucchiai d'olio, sale, pepe.

LAVATE CON CURA I GAMBERETTI, FATELI LESSARE IN ACQUA SALATA POI SGUSCIATELI. METTETE IN UNA PADELLA I FRUTTI DI MARE BEN LAVATI E FATELI APRIRE AL CALORE DEL FUOCO, CON L'AGGIUNTA DI UN CUCCHIAIO D'OLIO. QUANDO LE VALVE SI SARANNO APERTE, ESTRAETE I MOLLUSCHI E PONETELI IN UN PIATTO. TRITATE I 3 SPICCHI D'AGLIO E FATELI DORARE NELL'OLIO, UNITE I POMODORI PELATI E PRIVATI DEI SEMI, IL PREZZEMOLO TRITATO, UN PIZZICO DI SALE E DI PEPE. CONDITE CON QUESTO SUGO GLI SPAGHETTI CHE AVRETE PRECEDENTEMENTE FATTO LESSARE; UNITE QUINDI I GAMBERETTI E I MOLLUSCHI

SPAGHETTI AI FRUTTI DI MARE

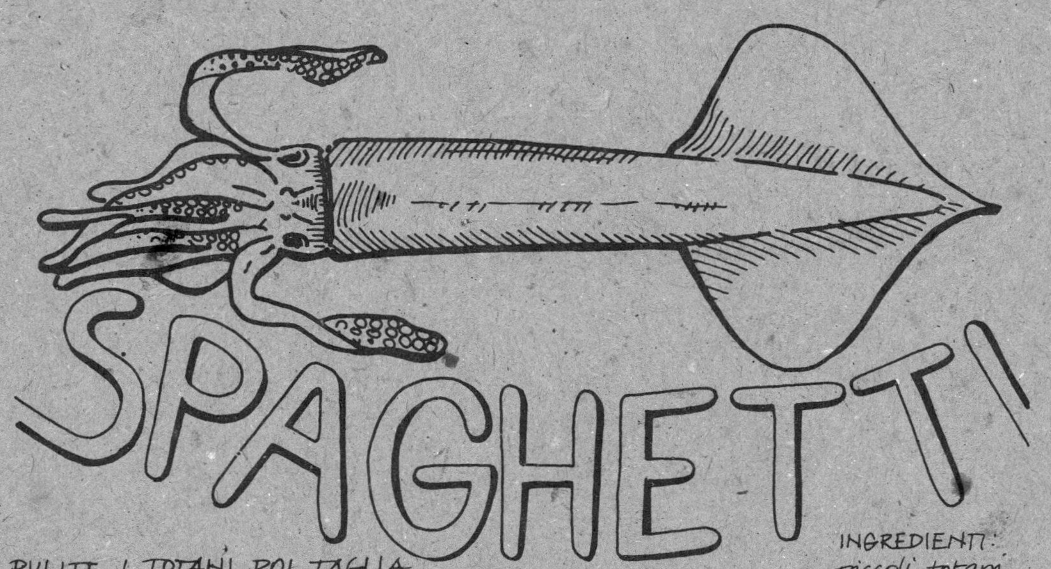

PULITE I TOTANI, POI TAGLIATELI AD ANELLI, METTETELI SUL FUOCO IN UN TEGAME DI TERRACOTTA E LASCIATE CONSUMARE L'ACQUA CHE SI FORMA.
VERSATE L'OLIO SUI TOTANI, AGGIUNGETE CIPOLLA TRITATA E AGLIO INTERO, FATE INDORARE I TOTANI E APPASSIRE LA CIPOLLA, UNITE UN CUCCHIAIO DI SALSA DI POMODORO, 3 FOGLIE DI BASILICO E UN PIZZICO DI ZUCCHERO. CONTINUATE LA COTTURA A FUOCO LENTO; NEL FRATTEMPO LESSATE GLI SPAGHETTI, CONDITELI E SERVITE GLI ANELLI DI TOTANO COME SECONDO.

INGREDIENTI:
piccoli totani gr. 800;
spaghetti gr 400;
olio d'oliva gr. 100;
1 cipolla
basilico
2 spicchi di aglio;
salsa di pomodoro; sale, pepe, zucchero.

SPAGHETTI AL CARTOCCIO

INGREDIENTI PER 4 PERSONE:
400 gr. di spaghetti
una confezione di gamberetti già lessati (naturalmente sarebbe preferibile usarli freschi, ma il risultato è ugualmente eccellente)
1/2 bicchiere di cognac
1/2 bicchiere abbondante di panna da cucina
100 gr. di burro
uno spicchio d'aglio pestato
una manciata di prezzemolo tritato molto fine
150 gr. di prosciutto crudo tagliato a striscioline
100 gr. di pomodori pelati spezzettati
sale e pepe

FATE IMBIONDIRE IN UNA CASSERUOLA CON 100 GR. DI BURRO LO SPICCHIO D'AGLIO PESTATO. DOPO POCHI MINUTI DI ROSOLATURA TOGLIETELO ED UNITE I POMODORI PELATI, MESCOLANDO CON UN CUCCHIAIO DI LEGNO. UNITE DI SEGUITO IL PROSCIUTTO CRUDO A STRISCIOLINE, I GAMBERETTI, LA MANCIATINA DI PREZZEMOLO TRITATO ED INSAPORITE CON SALE E PEPE. FATE CUOCERE A FUOCO MODERATO PER UNA MEZZ'ORETTA E, APPENA PRIMA DI TOGLIERE LA CASSERUOLA DAL FUOCO, SPRUZZATE CON IL COGNAC ED UNITE LA PANNA DA CUCINA. DATE L'ULTIMA MESCOLATA E CONDITE CON QUESTO DELICATISSIMO SUGHETTO GLI SPAGHETTI COTTI AL DENTE. SISTEMATELI SU UN FOGLIO DI ALLUMINIO, CHIUDETELI BEN BENE NEL SUO INTERNO IN MODO CHE IL CALORE NON SI DISPERDA, E PONETE IN FORNO PER 5 - 6 MINUTI.
SERVITE APRENDO IL CARTOCCIO DIRETTAMENTE IN TAVOLA

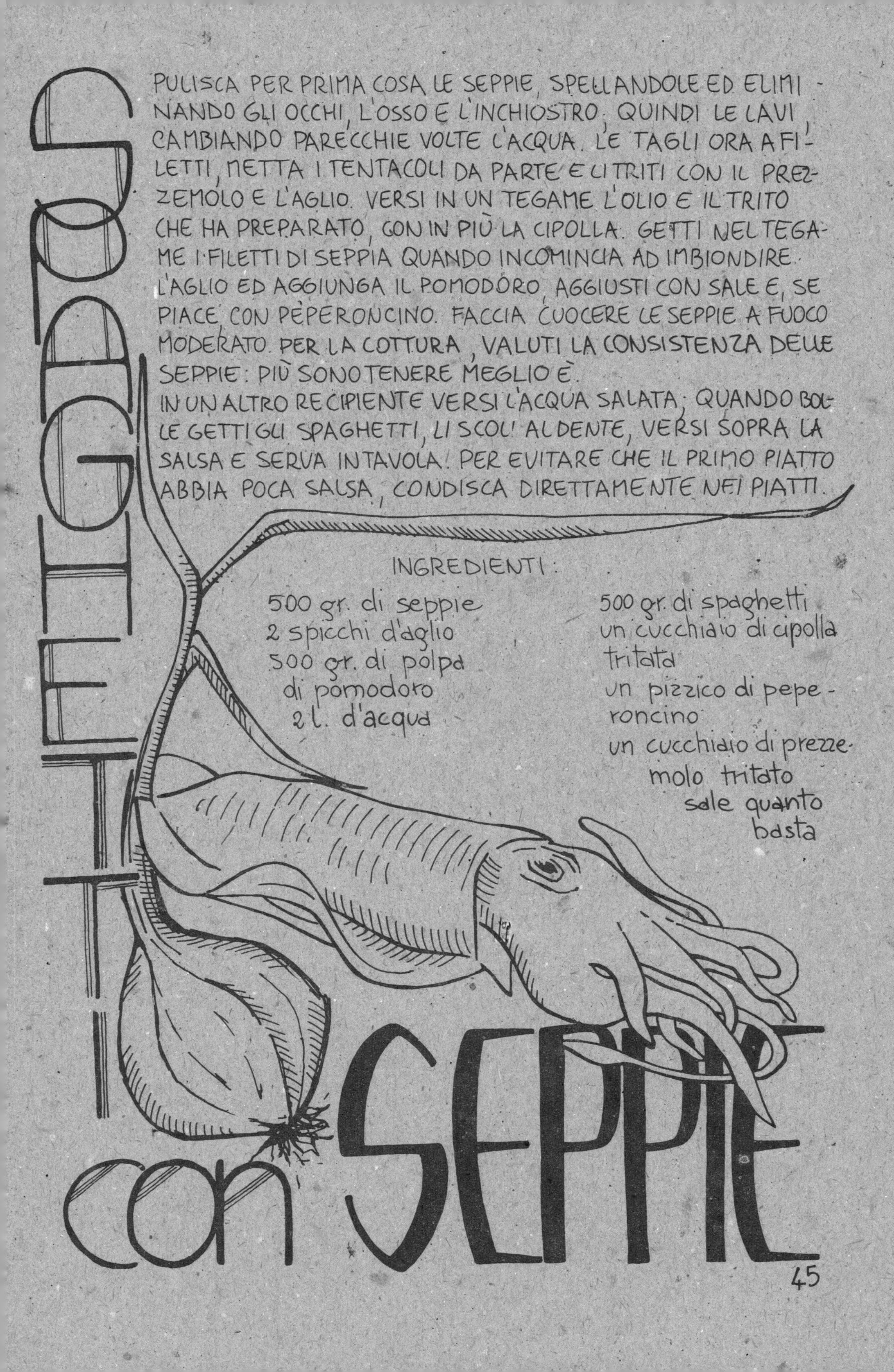

SPAGHETTI con SEPPIE

PULISCA PER PRIMA COSA LE SEPPIE, SPELLANDOLE ED ELIMINANDO GLI OCCHI, L'OSSO E L'INCHIOSTRO; QUINDI LE LAVI CAMBIANDO PARECCHIE VOLTE L'ACQUA. LE TAGLI ORA A FILETTI, METTA I TENTACOLI DA PARTE E LI TRITI CON IL PREZZEMOLO E L'AGLIO. VERSI IN UN TEGAME L'OLIO E IL TRITO CHE HA PREPARATO, CON IN PIÙ LA CIPOLLA. GETTI NEL TEGAME I FILETTI DI SEPPIA QUANDO INCOMINCIA AD IMBIONDIRE L'AGLIO ED AGGIUNGA IL POMODORO, AGGIUSTI CON SALE E, SE PIACE, CON PEPERONCINO. FACCIA CUOCERE LE SEPPIE A FUOCO MODERATO. PER LA COTTURA, VALUTI LA CONSISTENZA DELLE SEPPIE: PIÙ SONO TENERE MEGLIO È.

IN UN ALTRO RECIPIENTE VERSI L'ACQUA SALATA; QUANDO BOLLE GETTI GLI SPAGHETTI, LI SCOLI AL DENTE, VERSI SOPRA LA SALSA E SERVA IN TAVOLA. PER EVITARE CHE IL PRIMO PIATTO ABBIA POCA SALSA, CONDISCA DIRETTAMENTE NEI PIATTI.

INGREDIENTI:

500 gr. di seppie
2 spicchi d'aglio
500 gr. di polpa di pomodoro
2 l. d'acqua
500 gr. di spaghetti
un cucchiaio di cipolla tritata
un pizzico di peperoncino
un cucchiaio di prezzemolo tritato
sale quanto basta

INGREDIENTI PER 4 PERSONE: 400gr di spaghetti; 2 pomodori; 1/2 peperone verde dolce; 1 spicchio di aglio; 4 foglie larghe di basilico; 1 mazzetto di prezzemolo; 100 gr. di crostacei piccolissimi lessati e sgusciati; 1 calamaro scottato e tagliato a pezzetti; 4 scampi lessati e con guscio; 2 granchi di sabbia lessati e sgusciati; 2 cannocchie lessate e sgusciate; 4 gamberetti lessati e con guscio; 1 manciata di cozze, vongole e telline.

spaghetti DEL pescatore

PREPARATE UN PESTO O COMUNQUE UN BATTUTO ASSAI FINE DI PREZZEMOLO, AGLIO, BASILICO E PEPERONE E MANDATELO IN CASSERUOLA CON OLIO ABBONDANTE. AGGIUNGETE UN PIZZICO DI SALE; NON APPENA L'AGLIO AVRÀ PRESO COLORE, AGGIUNGETEVI I POMODORI. ATTENUATE APPENA LA FIAMMA E FATEVI SEGUIRE I PEZZETTI DI CALAMARO E TUTTI I CROSTACEI CITATI. DOPO CIRCA DIECI MINUTI DI COTTURA, GETTATEVI LE COZZE, LE VONGOLE E LE TELLINE. CONTEMPORANEAMENTE METTETE A BOLLIRE A PARTE GLI SPAGHETTI IN ACQUA SALATA. VERSATELI, COTTI, AL DENTE E SCOLATI, NELLA CASSERUOLA DEL PESCE, NON APPENA LE "CONCHIGLIE" SI SARANNO APERTE. MESCOLATE E SERVITE.

MOLISANO

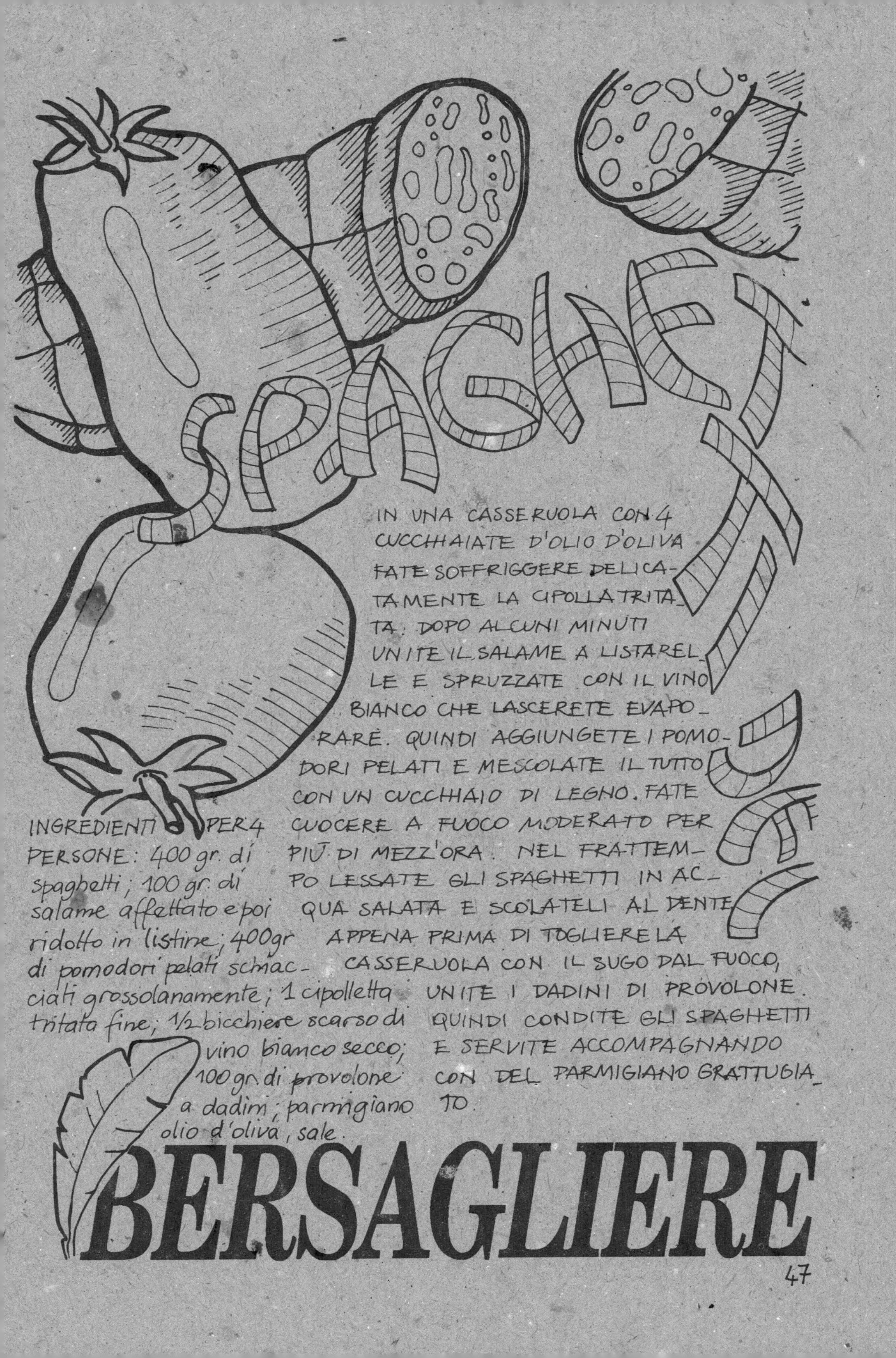
SPAGHETTI
IN UNA CASSERUOLA CON 4
CUCCHIAIATE D'OLIO D'OLIVA
FATE SOFFRIGGERE DELICA-
TAMENTE LA CIPOLLA TRITA-
TA. DOPO ALCUNI MINUTI
UNITE IL SALAME A LISTAREL-
LE E SPRUZZATE CON IL VINO
BIANCO CHE LASCERETE EVAPO-
RARE. QUINDI AGGIUNGETE I POMO-
DORI PELATI E MESCOLATE IL TUTTO
CON UN CUCCHIAIO DI LEGNO. FATE
CUOCERE A FUOCO MODERATO PER
PIÙ DI MEZZ'ORA. NEL FRATTEM-
PO LESSATE GLI SPAGHETTI IN AC-
QUA SALATA E SCOLATELI AL DENTE.
APPENA PRIMA DI TOGLIERE LA
CASSERUOLA CON IL SUGO DAL FUOCO,
UNITE I DADINI DI PROVOLONE.
QUINDI CONDITE GLI SPAGHETTI
E SERVITE ACCOMPAGNANDO
CON DEL PARMIGIANO GRATTUGIA-
TO.
INGREDIENTI PER 4
PERSONE: 400 gr. di
spaghetti; 100 gr. di
salame affettato e poi
ridotto in listine; 400gr
di pomodori pelati schiac-
ciati grossolanamente; 1 cipolletta
tritata fine; 1/2 bicchiere scarso di
vino bianco secco;
100 gr. di provolone
a dadini; parmigiano
olio d'oliva, sale.
BERSAGLIERE

FRITTATA di... spaghetti

INGREDIENTI: 6 uova intere; 300 gr circa di spaghetti avanzati; 3 cucchiai d'olio d'oliva; 20 gr. di burro; 1 manciatina di parmigiano grattugiato; sale e pepe.

QUESTA FRITTATA PARTICOLARISSIMA ERA MOLTO CONOSCIUTA PARECCHI ANNI FA NELLE LOCALITÀ TURISTICHE E VENIVA PREPARATA DAGLI ALBERGATORI COME VIVANDA DI VIAGGIO PER LE ESCURSIONI E I PIC-NIC DEI TURISTI. È POSSIBILE USARE QUALSIASI TIPO DI PASTA AVANZATA GIÀ CONDITA CON QUALUNQUE SUGO. SI SBATTONO DAPPRIMA LE UOVA IN UNA TERRINA; POI SI VERSANO IN ESSA GLI SPAGHETTI TAGLIATI A PICCOLI PEZZI, IL SALE, IL PEPE E LA MANCIATINA DI PARMIGIANO GRATTUGIATO. QUINDI FATE IMBIONDIRE L'OLIO E IL BURRO IN UNA LARGA PADELLA D'ALLUMINIO E, QUANDO SARANNO BEN CALDI, VERSATEVI IL COMPOSTO PREPARATO. COMPORTATEVI COME PER LA PREPARAZIONE DI UNA NORMALISSIMA FRITTATA: MESCOLATE A FUOCO VIVO PER FAR RAPPRENDERE LE UOVA. GIRATELA E, UNA VOLTA DORATA DA ENTRAMBE LE PARTI, SPEGNETE IL FUOCO. SERVITELA ACCOMPAGNATA AD UN'INSALATA VERDE. SE VOLETE RENDERE PIÙ RICCO QUESTO DIVERTENTE PIATTO, POTETE AGGIUNGERE AGLI SPAGHETTI ALTRI INGREDIENTI; AD ESEMPIO DEGLI SPINACI LESSATI E TRITATI, DEL FORMAGGIO A DADINI, O DELLA SALSICCIA TRITATA.

Spaghetti al sugo di agnello

INGREDIENTI PER 4 PERSONE:
400 gr. di spaghetti
2 cipolle; brodo
un cosciotto d'agnello
1 cucchiaio di strutto
1 pezzetto di burro
una manciata di prezzemolo
formaggio grattugiato
sale e pepe.

UNGETE CON LO STRUTTO UNA CASSERUOLA CHE SIA ABBASTANZA GRANDE DA CONTENERE IL COSCIOTTO D'AGNELLO.
AFFETTATE FINEMENTE LE CIPOLLE, DISTRIBUITELE SUL FONDO DEL RECIPIENTE E PONETEVI IL COSCIOTTO.
SALATE, PEPATE E, A FUOCO MODERATO, LASCIATE CUOCERE ALLUNGANDO DI TANTO IN TANTO CON QUALCHE MESTOLO DI BRODO.
PUNZECCHIATE LE CARNI DELL'ANIMALE CON LA FORCHETTA E QUANDO LE SENTIRETE BEN TENERE RIMUOVETE L'AGNELLO DAL TEGAME. TRITATE FINEMENTE IL PREZZEMOLO, AGGIUNGETELO AL FONDO DI COTTURA DELL'AGNELLO INSIEME AL BURRO E SCALDATE ANCORA PER ALCUNI MINUTI.
IN UN'ALTRA CASSERUOLA CUOCETE GLI SPAGHETTI IN ABBONDANTE ACQUA SALATA.
SCOLATELI, VERSATELI NEL SUGO E, COSPARSI DI FORMAGGIO GRATTUGIATO, FATELI SALTARE. SERVITELI SUBITO.

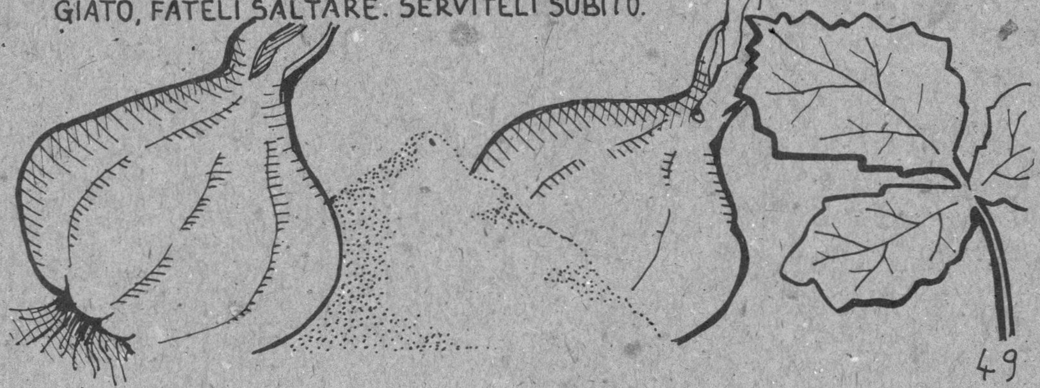

SPAGHETTI con *RAGÙ* D'ANATRA

SPENNA, PULISCI, BRUCIACCHIA L'ANATRA, TOGLI LE INTERIORA E LAVALA BENE. METTI L'ANATRA A LESSARE IN ABBONDANTE ACQUA SALATA CON CAROTA CIPOLLA E SEDANO. NEL FRATTEMPO LAVA, TRITA E METTI A ROSOLARE IL FEGATO E LE FRATTAGLIE IN OLIO, BURRO E DUE FOGLIE DI SALVIA, AGGIUNGI SALE E PEPE, FAI CUOCERE.
QUANDO L'ANATRA E' COTTA LEVALA E ACCANTONALA PER IL SECONDO.
FILTRA IL BRODO E USALO PER LESSARE GLI SPAGHETTI CHE, GIUNTI A GIUSTA COTTURA SCOLERAI E METTERAI IN UNA TERRINA.
CONDISCI GLI SPAGHETTI CON IL SUGHETTO, MESCOLA BENE E PORTA SUBITO IN TAVOLA CON IL PARMIGIANO GRATTUGIATO.

INGREDIENTI PER 4 PERSONE: un'anatra novella; 300 gr. di spaghetti; 30 gr. di burro; olio d'oliva; 1 cipolla; 1 costa di sedano; 1 carota; salvia; parmigiano grattugiato; sale e pepe.

INGREDIENTI PER 4 PERSONE:
spaghetti scuri (fatti con farina integrale) gr. 400; cipolle gr. 200; olio d'oliva finissimo gr. 100; acciughe o sardine sotto sale gr. 70; sale, pepe.

AFFETTA FINEMENTE LE CIPOLLE E FALLE DORARE IN 50 gr. D'OLIO, AGGIUNGI QUINDI UN POCO D'ACQUA, COPRI E FAI CUOCERE BENE, MESCOLANDO SPESSO. QUANDO LE CIPOLLE SARANNO COTTE, AGGIUNGI LE ACCIUGHE LAVATE, FALLE ROSOLARE PER 2-3 MINUTI SPAPPOLANDOLE CON UNA FORCHETTA. SPEGNI IL FUOCO, UNISCI ALLA SALSA IL RIMANENTE OLIO E UN PIZZICO DI PEPE. NEL FRATTEMPO AVRAI LESSATO GLI SPAGHETTI IN ABBONDANTE ACQUA SALATA E LI AVRAI SCOLATI A GIUSTA COTTURA. CONDISCI GLI SPAGHETTI CON LA SALSA; IN QUESTO CASO, PER LA PRESENZA DELLE ACCIUGHE, NON SI USA IL PARMIGIANO REGGIANO.

INGREDIENTI PER 4 PERSONE:
400 gr. di spaghetti; 100 gr. di carne di manzo tritata;
50 gr. di prosciutto magro a dadini; 2 peperoni gialli
tagliati in due; 150 gr. di melanzane sbucciate;
200 gr. di pomodori pelati; un trito di prezzemolo;
1 piccola carota affettata sottile; 50 gr. di burro;
parmigiano grattugiato; sale e pepe.
SPAGHETTI
DI CARNE
E VERDURA
QUESTA RICCHEZZA DI INGREDENTI
RIESCE A RENDERE VERAMEN_
TE PRELIBATO E GUSTO_
SO UN COMUNIS_
SIMO PIATTO
DI SPAGHET_
TI.

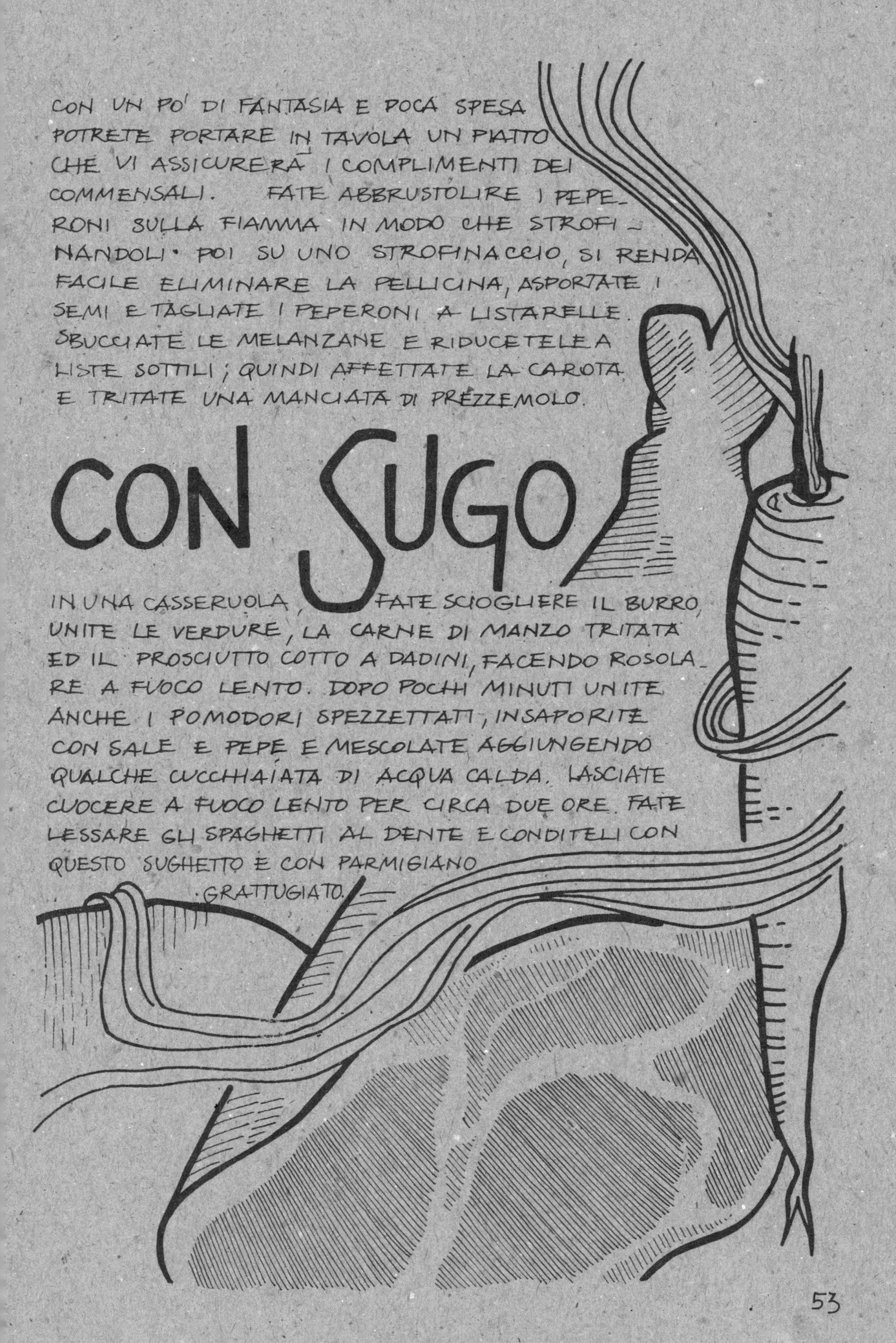

CON UN PO' DI FANTASIA E POCA SPESA POTRETE PORTARE IN TAVOLA UN PIATTO CHE VI ASSICURERÀ I COMPLIMENTI DEI COMMENSALI. FATE ABBRUSTOLIRE I PEPERONI SULLA FIAMMA IN MODO CHE STROFINANDOLI POI SU UNO STROFINACCIO, SI RENDA FACILE ELIMINARE LA PELLICINA, ASPORTATE I SEMI E TAGLIATE I PEPERONI A LISTARELLE. SBUCCIATE LE MELANZANE E RIDUCETELE A LISTE SOTTILI; QUINDI AFFETTATE LA CAROTA E TRITATE UNA MANCIATA DI PREZZEMOLO.

CON SUGO

IN UNA CASSERUOLA, FATE SCIOGLIERE IL BURRO, UNITE LE VERDURE, LA CARNE DI MANZO TRITATA ED IL PROSCIUTTO COTTO A DADINI, FACENDO ROSOLARE A FUOCO LENTO. DOPO POCHI MINUTI UNITE ANCHE I POMODORI SPEZZETTATI, INSAPORITE CON SALE E PEPE E MESCOLATE AGGIUNGENDO QUALCHE CUCCHIAIATA DI ACQUA CALDA. LASCIATE CUOCERE A FUOCO LENTO PER CIRCA DUE ORE. FATE LESSARE GLI SPAGHETTI AL DENTE E CONDITELI CON QUESTO SUGHETTO E CON PARMIGIANO GRATTUGIATO.

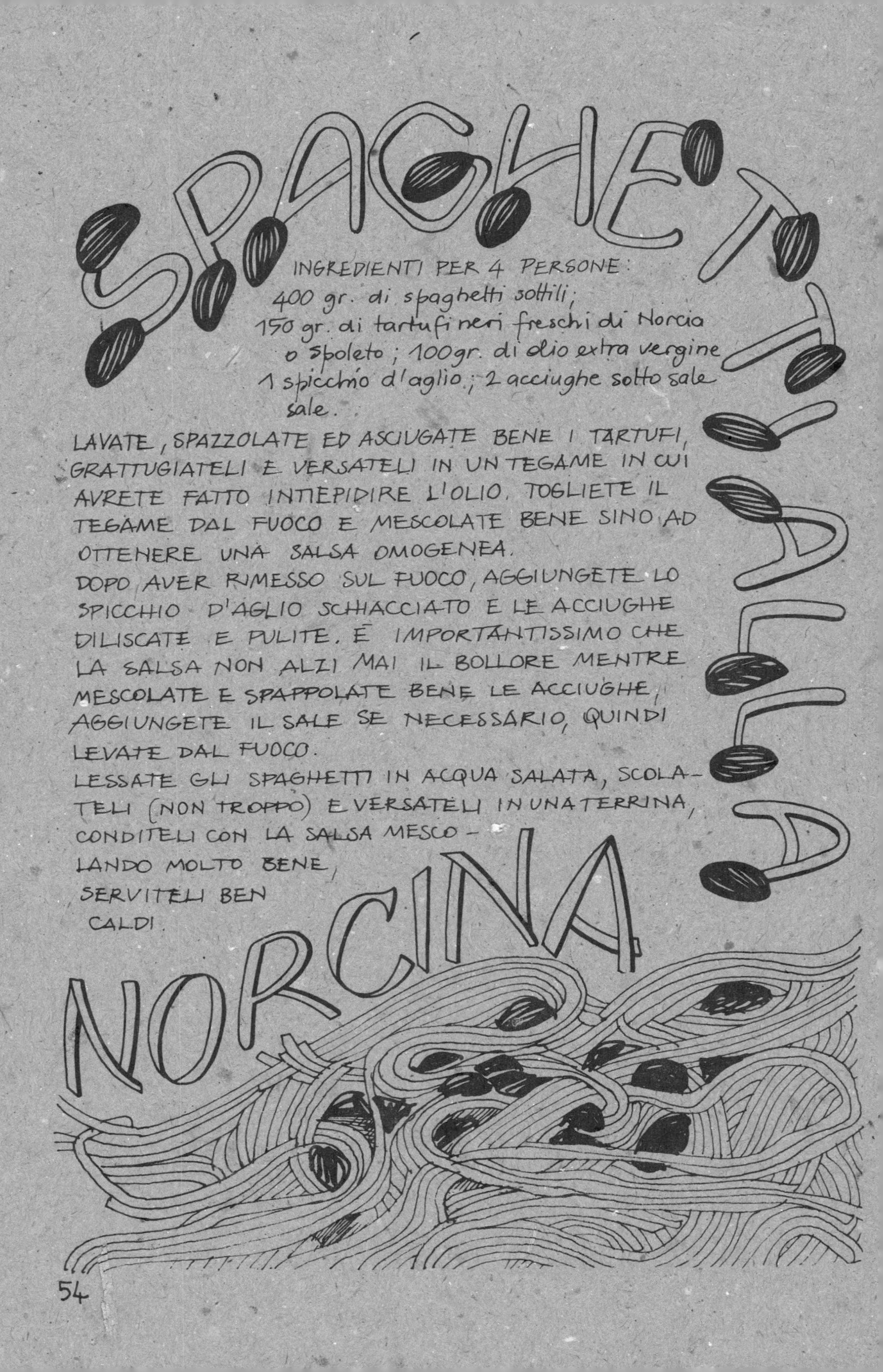

SPAGHETTI ALLA NORCINA

INGREDIENTI PER 4 PERSONE:
400 gr. di spaghetti sottili;
150 gr. di tartufi neri freschi di Norcia o Spoleto; 100 gr. di olio extra vergine
1 spicchio d'aglio; 2 acciughe sotto sale
sale.

LAVATE, SPAZZOLATE ED ASCIUGATE BENE I TARTUFI, GRATTUGIATELI E VERSATELI IN UN TEGAME IN CUI AVRETE FATTO INTIEPIDIRE L'OLIO. TOGLIETE IL TEGAME DAL FUOCO E MESCOLATE BENE SINO AD OTTENERE UNA SALSA OMOGENEA.
DOPO AVER RIMESSO SUL FUOCO, AGGIUNGETE LO SPICCHIO D'AGLIO SCHIACCIATO E LE ACCIUGHE DILISCATE E PULITE. È IMPORTANTISSIMO CHE LA SALSA NON ALZI MAI IL BOLLORE MENTRE MESCOLATE E SPAPPOLATE BENE LE ACCIUGHE, AGGIUNGETE IL SALE SE NECESSARIO, QUINDI LEVATE DAL FUOCO.
LESSATE GLI SPAGHETTI IN ACQUA SALATA, SCOLATELI (NON TROPPO) E VERSATELI IN UNA TERRINA, CONDITELI CON LA SALSA MESCOLANDO MOLTO BENE, SERVITELI BEN CALDI.

Spaghetti

INGREDIENTI PER 5 PERSONE:
- 2 cestini di fragole fresche
- 500 gr. di spaghetti
- 150 gr. di panna di latte
- 50 gr. di burro
- 6 cucchiai di pecorino (o parmigiano) grattugiato

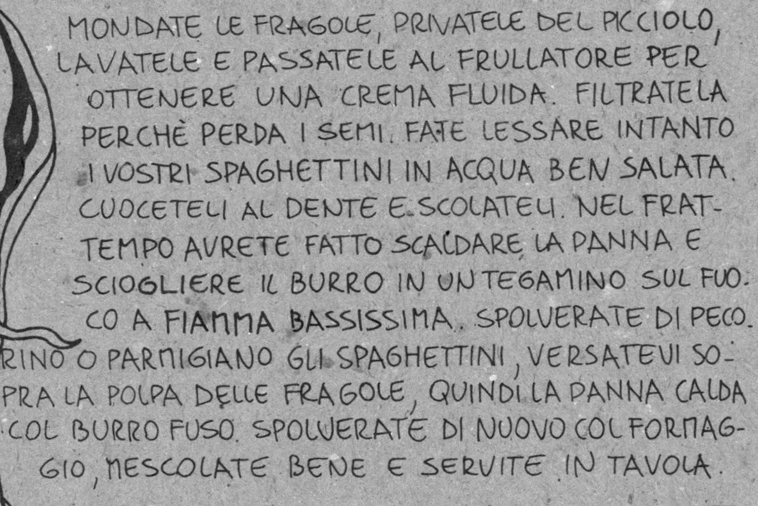

MONDATE LE FRAGOLE, PRIVATELE DEL PICCIOLO, LAVATELE E PASSATELE AL FRULLATORE PER OTTENERE UNA CREMA FLUIDA. FILTRATELA PERCHÈ PERDA I SEMI. FATE LESSARE INTANTO I VOSTRI SPAGHETTINI IN ACQUA BEN SALATA. CUOCETELI AL DENTE E SCOLATELI. NEL FRATTEMPO AVRETE FATTO SCALDARE LA PANNA E SCIOGLIERE IL BURRO IN UN TEGAMINO SUL FUOCO A FIAMMA BASSISSIMA. SPOLVERATE DI PECORINO O PARMIGIANO GLI SPAGHETTINI, VERSATEVI SOPRA LA POLPA DELLE FRAGOLE, QUINDI LA PANNA CALDA COL BURRO FUSO. SPOLVERATE DI NUOVO COL FORMAGGIO, MESCOLATE BENE E SERVITE IN TAVOLA.

ALLE FRAGOLE

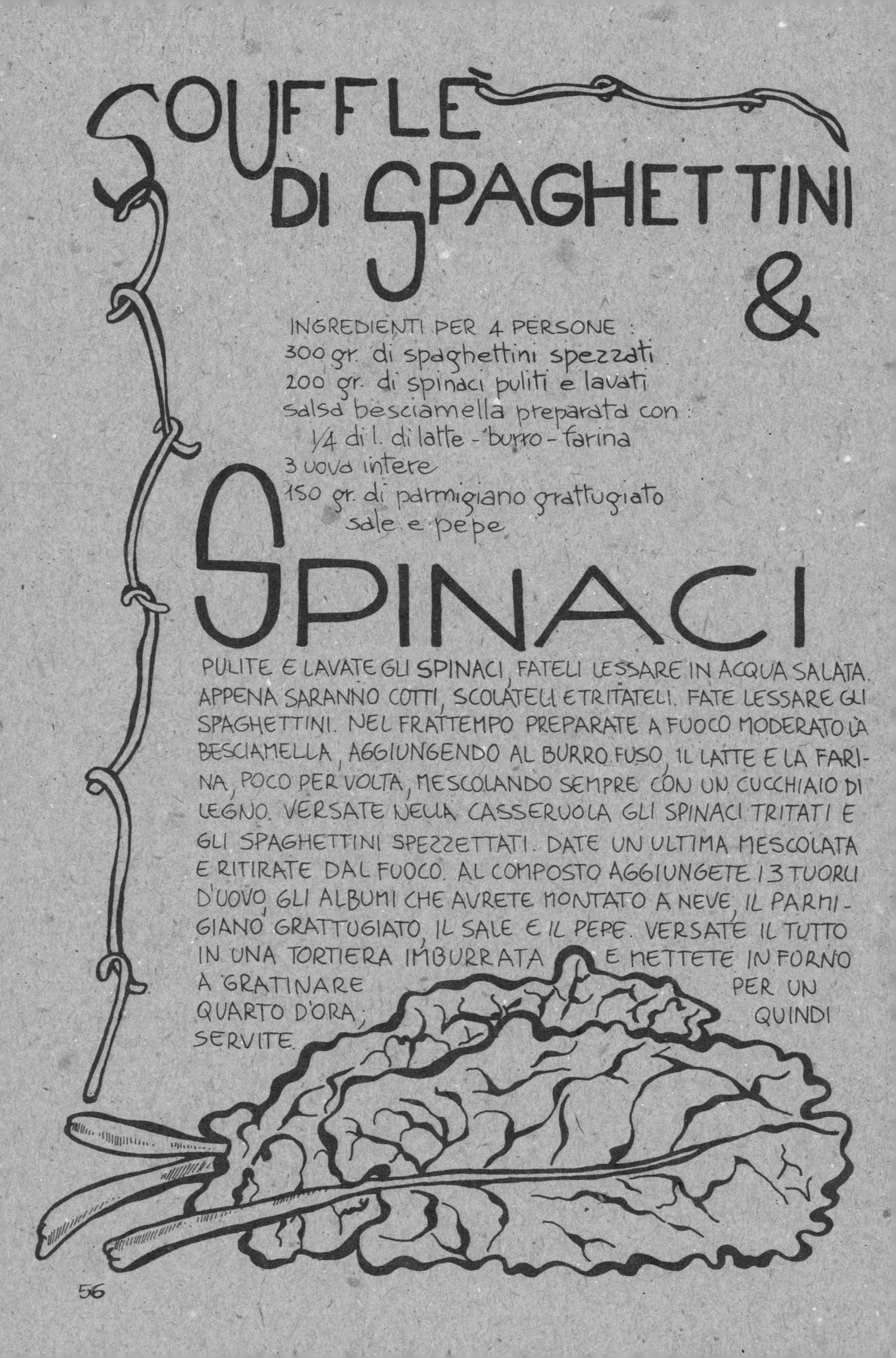

SOUFFLÈ DI SPAGHETTINI & SPINACI

INGREDIENTI PER 4 PERSONE:
300 gr. di spaghettini spezzati
200 gr. di spinaci puliti e lavati
salsa besciamella preparata con:
1/4 di l. di latte - burro - farina
3 uova intere
150 gr. di parmigiano grattugiato
sale e pepe

PULITE E LAVATE GLI SPINACI, FATELI LESSARE IN ACQUA SALATA. APPENA SARANNO COTTI, SCOLATELI E TRITATELI. FATE LESSARE GLI SPAGHETTINI. NEL FRATTEMPO PREPARATE A FUOCO MODERATO LA BESCIAMELLA, AGGIUNGENDO AL BURRO FUSO, IL LATTE E LA FARINA, POCO PER VOLTA, MESCOLANDO SEMPRE CON UN CUCCHIAIO DI LEGNO. VERSATE NELLA CASSERUOLA GLI SPINACI TRITATI E GLI SPAGHETTINI SPEZZETTATI. DATE UN ULTIMA MESCOLATA E RITIRATE DAL FUOCO. AL COMPOSTO AGGIUNGETE I 3 TUORLI D'UOVO, GLI ALBUMI CHE AVRETE MONTATO A NEVE, IL PARMIGIANO GRATTUGIATO, IL SALE E IL PEPE. VERSATE IL TUTTO IN UNA TORTIERA IMBURRATA E METTETE IN FORNO A GRATINARE PER UN QUARTO D'ORA, QUINDI SERVITE.

bavette al sugo d'anguilla

INGREDIENTI PER 4 PERSONE:
300 gr. di bavettine o altra pasta simile (spaghetti, linguine...); 200 gr. di anguille piccole lavate benissimo; 150 gr. di foglie di bietole tagliate a listine; 1/2 bicchiere d'olio d'oliva; 100 gr. di pomodori pelati; una manciata di prezzemolo e basilico tritati insieme; una spruzzata di vino bianco secco; sale e pepe.

PREPARATE IL SUGO FACENDO SOFFRIGGERE DAPPRIMA IL TRITO DI PREZZEMOLO E BASILICO NELL'OLIO D'OLIVA. DOPO POCHI MINUTI, SENZA AVER FATTO PRENDERE COLORE, UNITE LE ANGUILLE GIÁ PULITE PERFETTAMENTE E TAGLIATE A PICCOLI PEZZI. VERSATE IL VINO BIANCO E FATELO EVAPORARE. QUINDI AGGIUNGETE I POMODORI PELATI SPEZZETTATI E LE LISTARELLE DI FOGLIE DI BIETOLE, INSAPORENDO CON SALE E PEPE. ABBASSATE LA FIAMMA E LASCIATE CUOCERE PER UNA MEZZORETTA, CONTROLLANDO CHE LE BIETOLE SIANO BEN COTTE E L'ANGUILLA PIUTTOSTO CROCCANTE. AVRETE INTANTO FATTO LESSARE LE BAVETTE AL DENTE. SCOLATELE E CONDITELE CON QUESTO PRELIBATO SUGO. UNA BUONA IDEA SAREBBE QUELLA DI AUMENTARE LA QUANTITÁ DI ANGUILLA, USANDONE UNA PARTE PER CONDIRE LA PASTA ED UN'ALTRA PER IL SECONDO, ACCOMPAGNATO, AD ESEMPIO DA CROSTINI ABBRUSTOLITI.

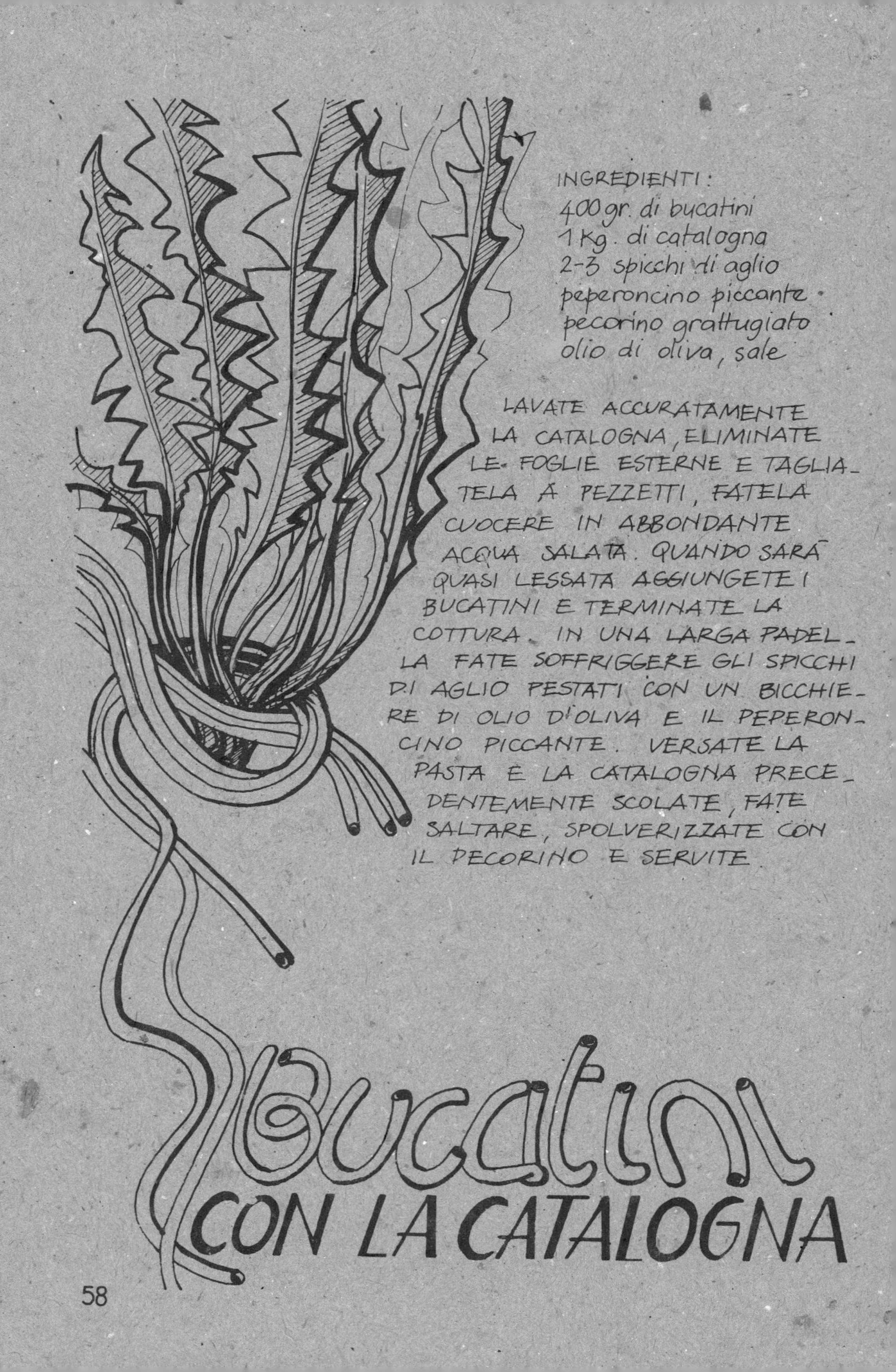

Bucatini con la catalogna

INGREDIENTI:
400 gr. di bucatini
1 Kg. di catalogna
2-3 spicchi di aglio
peperoncino piccante
pecorino grattugiato
olio di oliva, sale

LAVATE ACCURATAMENTE LA CATALOGNA, ELIMINATE LE FOGLIE ESTERNE E TAGLIATELA A PEZZETTI, FATELA CUOCERE IN ABBONDANTE ACQUA SALATA. QUANDO SARÀ QUASI LESSATA AGGIUNGETE I BUCATINI E TERMINATE LA COTTURA. IN UNA LARGA PADELLA FATE SOFFRIGGERE GLI SPICCHI DI AGLIO PESTATI CON UN BICCHIERE DI OLIO D'OLIVA E IL PEPERONCINO PICCANTE. VERSATE LA PASTA E LA CATALOGNA PRECEDENTEMENTE SCOLATE, FATE SALTARE, SPOLVERIZZATE CON IL PECORINO E SERVITE.

BUCATINI alla FRANTOIANA

INIZIATE LA PREPARAZIONE DI QUESTO PIATTO MARCHIGIANO CON LA PULIZIA DEI FUNGHI. POI TRITATELI GROSSOLANAMENTE. IN UNA LARGA PADELLA FATE IMBIONDIRE NELL'OLIO LO SPICCHIO D'AGLIO PESTATO. APPENA SI SARÀ COLORITO, TOGLIETE L'AGLIO E UNITE I FUNGHI, FACENDOLI ROSOLARE A FUOCO VIVO. QUANDO SARANNO COTTI AGGIUNGETE IL PREZZEMOLO E LA PUREA DI OLIVE NERE. REGOLATE IL SALE, IL PEPE E CONDITE CON LA SALSA OTTENUTA I BUCATINI LESSATI AL DENTE. DISTRIBUITE ABBONDANTE PECORINO GRATTUGIATO E SERVITE.

INGREDIENTI PER 4 PERSONE:
400 gr. di bucatini; 300 gr. di funghi freschi (ad esempio chiodini); 150 gr. di olive nere snocciolate e triturate; 1/2 bicchiere d'olio d'oliva; 1 spicchio d'aglio pestato; una manciata di prezzemolo tritato; sale e pepe; pecorino piccante grattugiato.

BUCATINI
AGLI OVOLI

INGREDIENTI PER 4 PERSONE:
400 gr. di bucatini
500 gr. di ovoli da coltura
4 filetti di acciughe ben puliti
100 gr. di tonno in scatola triturato
sale e pepe; 1/2 spicchio d'aglio tritato
una manciatina di prezzemolo tritato
50 gr. di burro e qualche cucchiaiata
di olio; parmigiano grattugiato

PULITE DAPPRIMA I FUNGHI, LAVATELI E TAGLIATELI A FETTINE PIUTTOSTO SOTTILI. IN UN LARGO TEGAME CON L'OLIO E IL BURRO FATE SOFFRIGGERE L'AGLIO TRITATO. UNITE I FILETTI D'ACCIUGA CERCANDO DI RIDURLI IN POLTIGLIA CON UNA FORCHETTA. AGGIUNGETE POI IL TONNO SPEZZETTATO, I FUNGHI A FETTINE E IL PREZZEMOLO TRITATO. SALATE E PEPATE. COPRITE QUINDI IL TEGAME FACENDO CONTINUARE LA COTTURA A FUOCO LENTO PER VENTI MINUTI CIRCA AGGIUNGENDO QUALCHE CUCCHIAIATA DI BRODO CALDO (O DI ACQUA), SE LA SALSA DOVESSE ASCIUGARSI TROPPO. IN TEMPO UTILE FATE LESSARE I BUCATINI IN ACQUA BOLLENTE SALATA; SCOLATELI AL DENTE.
CONDITELI IN UNA ZUPPIERA CON SALSA DI FUNGHI.
SPARGETE UNA BUONA DOSE DI PARMIGIANO GRATTUGIATO E SERVITE.

BUCATINI CON le melanzane in bianco

INGREDIENTI:
400 gr. di bucatini
2 melanzane
pecorino grattugiato
peperoncino
farina
olio e sale

TAGLIATE LE MELANZANE A CUBETTI, SALATELE E SISTEMATELE SU UN PIATTO INCLINATO AFFINCHÈ EMETTANO IL LIQUIDO AMAROGNOLO.
ASCIUGATELE, INFARINATELE E FRIGGETELE IN ABBONDANTE OLIO D'OLIVA.
LESSATE I BUCATINI, CONDITELI CON 2 CUCCHIAI DI OLIO CRUDO, IL PEPERONCINO ROSSO SPEZZETTATO, IL PECORINO E LE MELANZANE.
RIGIRATE VELOCEMENTE E SERVITE.

Bucatini al sugo Diavolino

INGREDIENTI PER 4 PERSONE:

400 gr. di bucatini
1 peperoncino piccante senza semi
400 gr. di pomodori pelati
1/2 cipolla affettata
2 spicchi d'aglio
una manciata di prezzemolo tritato
qualche foglia di menta pestata
1 gambo di sedano tritato
5 cucchiai d'olio d'oliva
sale e pepe
pecorino grattugiato

PREPARATE QUESTO SUGO, TIPICO DELL'ABRUZZO, FACENDO ROSOLARE DOLCEMENTE NELL'OLIO LA CIPOLLA, GLI SPICCHI D'AGLIO PESTATI E IL PEPERONCINO PICCANTE. APPENA IL CONDIMENTO AVRÀ RAGGIUNTO UN PO' DI COLORE, UNITE AD ESSO I POMODORI PELATI SCHIACCIATI GROSSOLANAMENTE E IL TRITO DI PREZZEMOLO E SEDANO. UNITE ANCHE LE FOGLIE DI MENTA, CHE POI TOGLIERETE, REGOLANDO CON IL SALE E IL PEPE. FATE CUOCERE FINCHÈ IL SUGO SARÀ BEN RISTRETTO. MESCOLATE IN UNA TERRINA I BUCATINI SCOLATI AL DENTE, IL SUGO DIAVOLINO E IL PECORINO GRATTUGIATO.

INGREDIENTI:
400 gr. di linguine
400 gr. di tonno sott'olio
prezzemolo
olio di oliva
sale - pepe
aglio
LINGUINE
alla
Semplice
MENTRE
CUOCETE LE
LINGUINE
PREPARATE IL CONDI-
MENTO AL TONNO. TRITATE
UNO SPICCHIO D'AGLIO CON UNA
GROSSA MANCIATA DI PREZZEMOLO.
FATE SOFFRIGGERE IN 4 - 5 CUCCHIAI
DI OLIO DI OLIVA E AGGIUNGETE IL TONNO
SBRICIOLATO. AGGIUSTATE DI SALE E PEPE E
VERSATE NELLA PADELLA LE LINGUINE COTTE
AL DENTE. MESCOLATE VELOCEMENTE E SERVITE.

INGREDIENTI PER 4 PERSONE:
400 gr. di linguine
7 cucchiaiate di olio d'oliva
6 o 7 sacchettini di inchiostro nero di seppia; sale e pepe
un trito preparato con un mazzetto di prezzemolo, 1/2 spicchio d'aglio e 1/2 cipolla
200 gr. di pomodori pelati spezzettati

linguine al NERO di seppia

PORTATE AD EBOLLIZIONE IN UNA PENTOLA ABBONDANTE ACQUA SALATA. QUANDO INIZIERÀ A BOLLIRE, VERSATE LE LINGUINE. NEL FRATTEMPO PREPARATE IL SUGO, FACENDO ROSOLARE NELL'OLIO D'OLIVA IL TRITO DI CIPOLLA, PREZZEMOLO ED AGLIO. LASCIATE IMBIONDIRE IL SOFFRITTO ED UNITE ANCHE I POMODORI, MESCOLANDO CON UN CUCCHIAIO DI LEGNO. DOPO CIRCA 10 MINUTI DI COTTURA A FUOCO VIVACE, AGGIUNGETE AL SUGO I SACCHETTI DI SEPPIA, ROMPENDOLI CON IL CUCCHIAIO, ED INSAPORITE CON SALE E PEPE. CONDITE CON QUESTO SUGO DALL'ASPETTO "TENEBROSO" LA PASTA CHE AVRETE SCOLATO AL DENTE. SERVITELA SUBITO

Linguine al CAVIALE

INGREDIENTI PER 4 PERSONE
400 gr. di linguine;
una ciotolina di caviale;
una manciatina di prezzemolo tritato finissimo;
60 gr. di burro;
sale.

FATE SCIOGLIERE, MA NON SOFFRIGGERE, IL BURRO IN UNA CASSERUÓLA. PRIMA DI TOGLIERLO DAL FUOCO UNITE UN PIZZICO DI SALE E DI PREZZEMOLO TRITATO. QUINDI CONDITE CON QUESTO CONDIMENTO IL CONTENUTO DELLA CONFEZIONE DI CAVIALE, LE LINGUETTE FATTE CUOCERE AL DENTE.

AGGIUNGETE UNA O DUE CUCCHIAIATE DELL' ACQUA DI COTTURA DELLA PASTA, PER DILUIRE IL CAVIALE, E MESCOLATE IL TUTTO IN UNA TERRINA.

PORTATE QUINDI IN TAVOLA.

LINGUINE IN SALSA VERDE
LAVATE SOTTO L'ACQUA CORRENTE LE FOGLIOLINE DI MENTA, BASILICO E PREZZEMOLO E METTETELE NEL BICCHIERE DEL FRULLATORE. PELATE I PISTACCHI (CHE AVRETE SBOLLENTATO PER QUALCHE MINUTO IN ACQUA BOLLENTE) E UNITELI ALLE ERBE AROMATICHE INSIEME AI PINOLI E A 5 CUCCHIAIATE D'OLIO D'OLIVA. FRULLATE IL TUTTO OTTENENDO UNA MORBIDA CREMA CHE TERRETE A BAGNOMARIA FINO AL MOMENTO DI CONDIRE LA PASTA. LESSATE INTANTO IN ACQUA SALATA LE LINGUINE. SCOLATELE AL DENTE E METTETELE IN UNA TERRINA. AGGIUNGETE ALLA SALSA VERDE, MANTENUTA IN CALDO, LA PANNA LIQUIDA, UNA PRESA DI SALE E UNA MANCIATINA DI PEPE; CONDITE LA PASTA MESCOLANDO BENE. VERSATE ANCORA UN GOCCIO D'OLIO CRUDO E DISTRIBUITE UNA BUONA DOSE DI PECORINO GRATTUGIATO.
INGREDIENTI PER 4 PERSONE:
400 gr. di linguine; 1 ciuffo di prezzemolo; una manciatina di foglie di basilico; 2 rametti di menta; una manciatina di pistacchi; un pugnetto di pinoli; olio d'oliva; sale e pepe; 1/2 bicchiere di panna da cucina; pecorino grattugiato.

TRENETTE al pesto

INGREDIENTI:
400 gr. di trenette
200 gr. di fagiolini verdi, piccoli e tenerissimi
2 patate di media grandezza
olio di oliva
sale grosso
parmigiano grattugiato
foglie di basilico, fresche e sanissime
pecorino sardo grattugiato
aglio
pinoli

LA RICETTA CLASSICA DEL PESTO PREVEDE CHE GLI INGREDIENTI VENGANO PESTATI NEL MORTAIO DI MARMO; OGGI, PER COMODITÀ, È CONSENTITO L'USO DEL FRULLATORE. LAVATE DELICATAMENTE TRENTA FOGLIE, POSSIBILMENTE PICCOLE, DI BASILICO ED ASCIUGATELE; METTETELE NEL VASO DEL FRULLATORE CON UNA CUCCHIAIATA DI PINOLI TOSTATI NEL FORNO, UNO SPICCHIO DI AGLIO TAGLIATO A PEZZETTINI E UN PIZZICO DI SALE GROSSO. AGGIUNGETE I DUE FORMAGGI, UN BICCHIERE SCARSO DI OLIO E FRULLATE FINO A CHE SI SARÀ FORMATA UNA BELLA CREMA VERDE BRILLANTE. PONETE SUL FUOCO UNA GRANDE PENTOLA PIENA DI ACQUA. PULITE I FAGIOLINI E PELATE LE PATATE, QUINDI TAGLIATE I FAGIOLINI A PEZZETTI E LE PATATE A QUADRATINI, POI TUFFATE LE VERDURE IN ACQUA BOLLENTE E SALATE. QUANDO LE VERDURE SARANNO QUASI COTTE, CUOCETE LE TRENETTE AL DENTE, SCOLATELE, TENETE DA PARTE DUE CUCCHIAI DELL'ACQUA DI COTTURA E CON ESSA DILUITE IL PESTO; PONETE LA PASTA E LE VERDURE IN UNA ZUPPIERA E CONDITE CON IL PESTO PRECEDENTEMENTE PREPARATO.

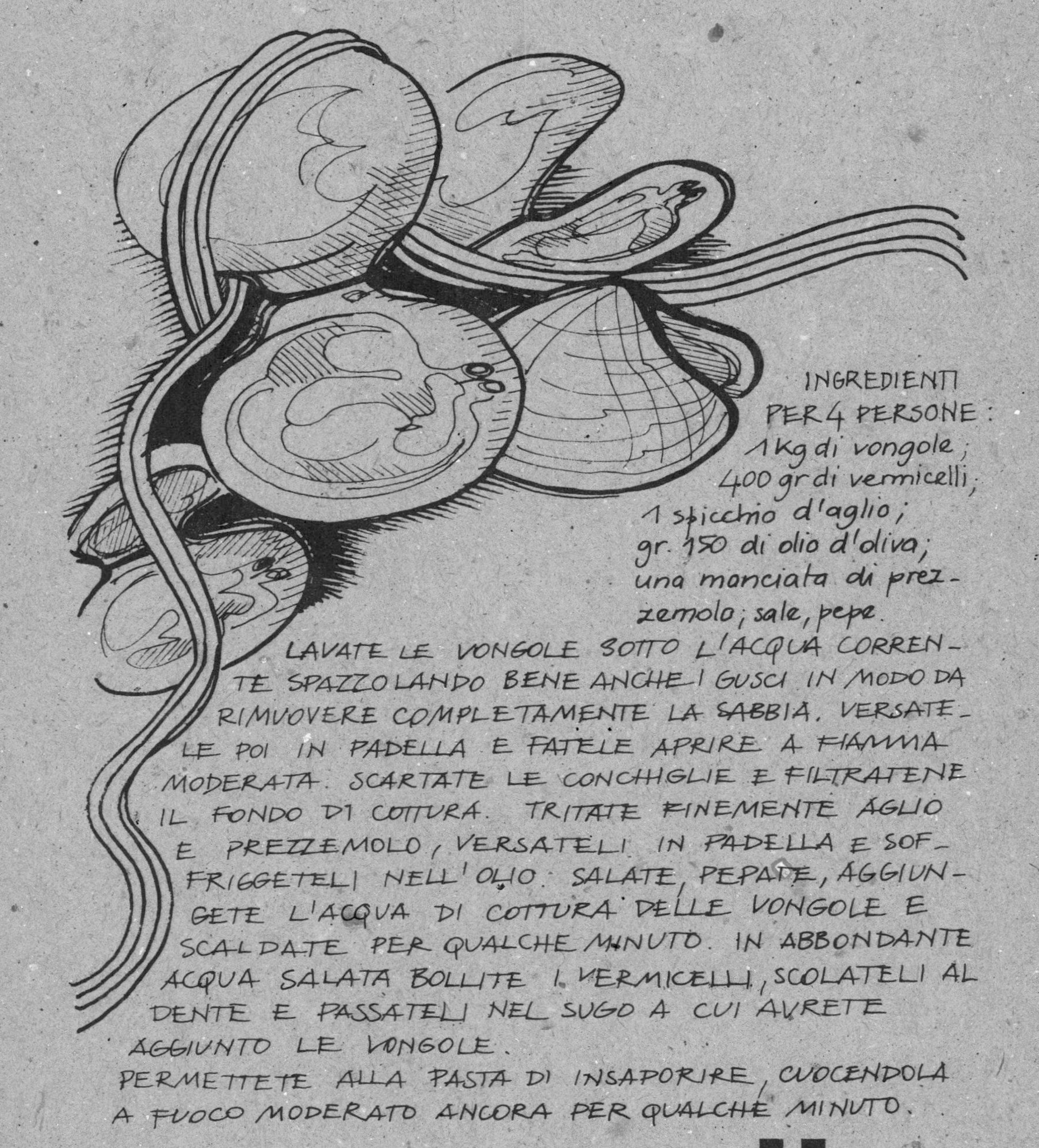

INGREDIENTI PER 4 PERSONE:
1 kg di vongole;
400 gr di vermicelli;
1 spicchio d'aglio;
gr. 150 di olio d'oliva;
una manciata di prezzemolo; sale, pepe.

LAVATE LE VONGOLE SOTTO L'ACQUA CORRENTE SPAZZOLANDO BENE ANCHE I GUSCI IN MODO DA RIMUOVERE COMPLETAMENTE LA SABBIA. VERSATELE POI IN PADELLA E FATELE APRIRE A FIAMMA MODERATA. SCARTATE LE CONCHIGLIE E FILTRATENE IL FONDO DI COTTURA. TRITATE FINEMENTE AGLIO E PREZZEMOLO, VERSATELI IN PADELLA E SOFFRIGGETELI NELL'OLIO. SALATE, PEPATE, AGGIUNGETE L'ACQUA DI COTTURA DELLE VONGOLE E SCALDATE PER QUALCHE MINUTO. IN ABBONDANTE ACQUA SALATA BOLLITE I VERMICELLI, SCOLATELI AL DENTE E PASSATELI NEL SUGO A CUI AVRETE AGGIUNTO LE VONGOLE.
PERMETTETE ALLA PASTA DI INSAPORIRE, CUOCENDOLA A FUOCO MODERATO ANCORA PER QUALCHE MINUTO.

Vermicelli alle vongole

VERMICELLI CON CANNOLICCHI

INGREDIENTI PER 4 PERSONE:

- 1 kg. di cannolicchi
- 400 gr. di vermicelli
- 700 gr. di polpa di pomodoro.
- 3 spicchi d'aglio
- 1 mazzetto di prezzemolo
- 1 punta di peperoncino rosso piccante
- olio di oliva e sale

PONETE I CANNOLICCHI IN UN TEGAME CON UN FILO D'OLIO, FATELI APRIRE SUL FUOCO ED ESTRAETE I MOLLUSCHI. ROSOLATE NELL'OLIO IL PEPERONCINO E L'AGLIO TRITATO; AGGIUNGETELA POLPA DEI POMODORI E LASCIATE CUOCERE PER 25 MINUTI CIRCA. UNITE I CANNOLICCHI TAGLIATI A PEZZETTI E LASCIATE SUL FUOCO ANCORA PER 5 MINUTI. A PARTE FATE CUOCERE I VERMICELLI IN ACQUA BOLLENTE SALATA, SCOLATELI AL DENTE E CONDITELI CON IL SUGO PREPARATO. COSPARGETELI CON IL PREZZEMOLO TRITATO E SERVITELI FUMANTI.

Vermicelli

INGREDIENTI PER 4 PERSONE:

400 gr. di vermicelli
200 gr. di tonno sott'olio scolato e spezzettato
600 gr. di pomodori maturi senza semi e senza pelle
1 spicchio d'aglio schiacciato
1 cucchiaio d'origano
1 acciuga diliscata e spezzettata
pecorino grattugiato
sale e pepe

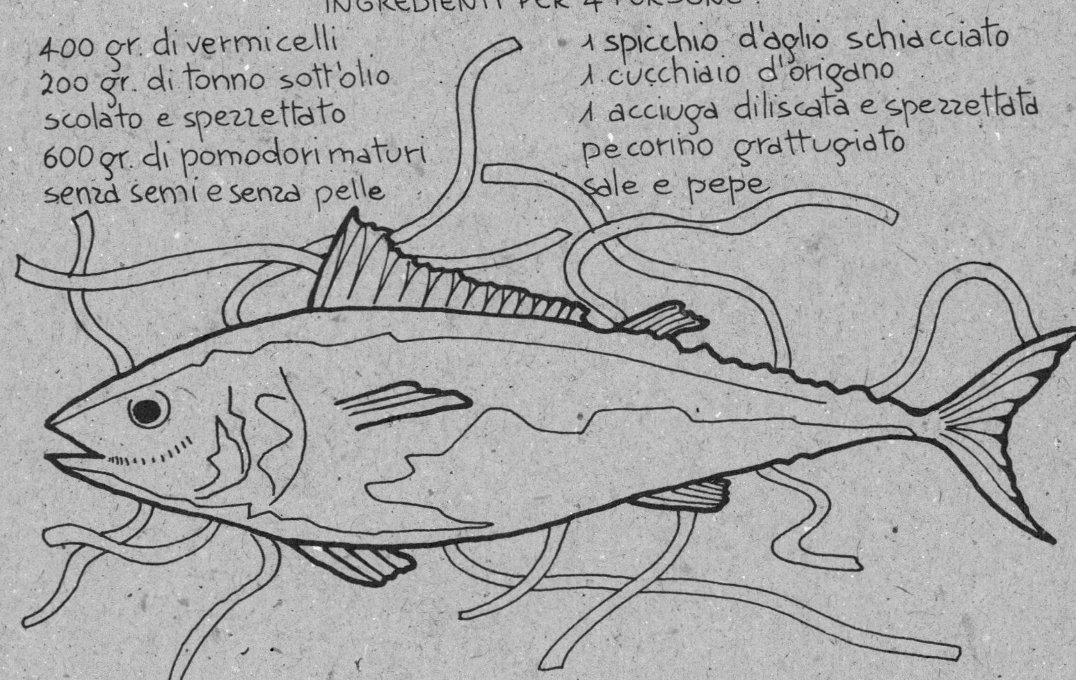

IN UNA CASSERUOLA FATE IMBIONDIRE NELL'OLIO D'OLIVA LO SPICCHIO D'AGLIO SCHIACCIATO. APPENA SARÀ DORATO, TOGLIETELO ED UNITE L'ACCIUGA FACENDOLA SPAPPOLARE CON UNA FORCHETTA. DOPO POCHI MINUTI DI ROSOLATURA AGGIUNGETE I POMODORI SPELLATI E SPEZZETTATI. SALATE E PEPATE, LASCIANDO CUOCERE A FUOCO VIVACE PER 15 MINUTI; QUINDI UNITE IL TONNO E L'ORIGANO.
AVRETE INTANTO POSTO A CUOCERE IN UNA PENTOLA CON ABBONDANTE ACQUA SALATA I VERMICELLI. RITIRATELI AL DENTE E CONDITELI SUBITO CON IL SUGO OTTENUTO, SPOLVERIZZANDO CON DEL PECORINO GRATTUGIATO.

al tonno

Vermicelli alla puttanesca

INGREDIENTI PER 4 PERSONE:

400 gr. di vermicelli
2 spicchi d'aglio pestati
1/2 bicchiere d'olio d'oliva
una manciata di capperi
un cucchiaio di origano
500 gr. di pomodori pelati spezzettati
un peperoncino rosso piccante, senza semi
100 gr. di olive nere snocciolate e triturate
4 acciughe diliscate e tagliuzzate
una manciata di prezzemolo tritato
sale

IN UNA LARGA PADELLA FATE ROSOLARE NELL'OLIO GLI SPICCHI DI AGLIO E IL PEPERONCINO ROSSO. DOPO AVERLI TOLTI, UNITE I POMODORI SPEZZETTATI, I CAPPERI, LE OLIVE NERE, E LE ACCIUGHE A PEZZETTI. MESCOLATE BENE PER AMALGAMARE TUTTI GLI INGREDIENTI E FATE CUOCERE A FUOCO VIVACE.
REGOLATE DI SALE E PEPE E AGGIUNGETE L'ORIGANO.
POCO PRIMA DI TOGLIERE IL CONDIMENTO DAL FUOCO UNITE IL PREZZEMOLO E CONDITE I VERMICELLI CHE AVRETE FATTO CUOCERE AL DENTE.

FRITTATA DI VERMICELLI RIPIENA

INGREDIENTI PER 4 PERSONE: 200 gr. di vermicelli; 4 uova intere sbattute in una scodella; una manciatina di prezzemolo tritato; una manciatina di parmigiano grattugiato; 300 gr. di pomodori pelati; 1/2 cipolla tagliata a fettine sottili; 2 mozzarelle affettate; 100 gr. di fette di salame tagliate a dadini; olio, sale e pepe.

PREPARATE DAPPRIMA LA SALSA FACENDO ROSOLARE LA CIPOLLA AFFETTATA IN 4 CUCCHIAI D'OLIO D'OLIVA. AD ESSA UNITE I POMODORI SPEZZETTATI E, DOPO AVER MESSO SALE E PEPE, FATE CUOCERE IL CONDIMENTO A FUOCO LENTO COPRENDO LA CASSERUOLA. NEL FRATTEMPO LESSATE LA PASTA AL DENTE E, UNA VOLTA SCOLATA, MESCOLATELA IN UNA TERRINA ASSIEME ALLE UOVA SBATTUTE, AL PARMIGIANO, AL PREZZEMOLO, SALE E PEPE. ORA, IN UNA LARGA PADELLA VERSATE DELL'OLIO; VERSATEVI 1/2 DELLA PASTA CONDITA CON LE UOVA, DISPONETEVI AL CENTRO LA MOZZARELLA, IL SALAME E IL SUGO AL POMODORO E LASCIATE RAPPRENDERE. DISPONETE IL RESTO DELLA PASTA E APPENA SI SARÀ FORMATA UNA CROSTICINA, GIRATE LA FRITTATA CON L'AIUTO DI UN COPERCHIO. LASCIATE DORARE ANCHE SULL'ALTRO LATO E SERVITE.

pasta corta (maccheroni, fusilli, rigatoni e tante altre)

Maccheroni ai 4 formaggi

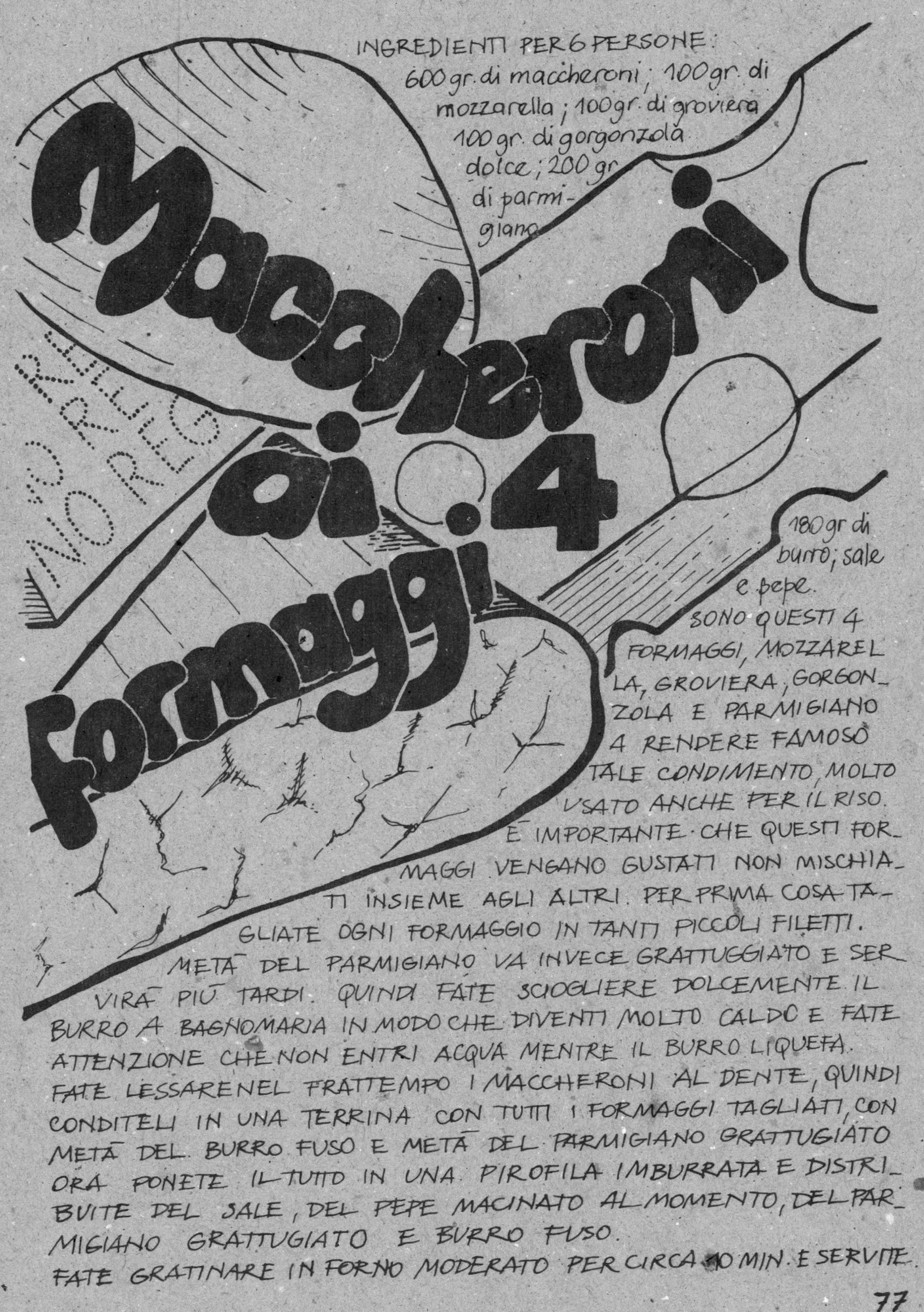

INGREDIENTI PER 6 PERSONE:
600 gr. di maccheroni; 100 gr. di mozzarella; 100 gr. di groviera 100 gr. di gorgonzola dolce; 200 gr di parmigiano 180 gr di burro; sale e pepe.

SONO QUESTI 4 FORMAGGI, MOZZARELLA, GROVIERA, GORGONZOLA E PARMIGIANO A RENDERE FAMOSO TALE CONDIMENTO, MOLTO USATO ANCHE PER IL RISO. È IMPORTANTE CHE QUESTI FORMAGGI VENGANO GUSTATI NON MISCHIATI INSIEME AGLI ALTRI. PER PRIMA COSA TAGLIATE OGNI FORMAGGIO IN TANTI PICCOLI FILETTI. METÀ DEL PARMIGIANO VA INVECE GRATTUGGIATO E SERVIRÀ PIÙ TARDI. QUINDI FATE SCIOGLIERE DOLCEMENTE IL BURRO A BAGNOMARIA IN MODO CHE DIVENTI MOLTO CALDO E FATE ATTENZIONE CHE NON ENTRI ACQUA MENTRE IL BURRO LIQUEFA. FATE LESSARE NEL FRATTEMPO I MACCHERONI AL DENTE, QUINDI CONDITELI IN UNA TERRINA CON TUTTI I FORMAGGI TAGLIATI, CON METÀ DEL BURRO FUSO E METÀ DEL PARMIGIANO GRATTUGIATO ORA PONETE IL TUTTO IN UNA PIROFILA IMBURRATA E DISTRIBUITE DEL SALE, DEL PEPE MACINATO AL MOMENTO, DEL PARMIGIANO GRATTUGIATO E BURRO FUSO.
FATE GRATINARE IN FORNO MODERATO PER CIRCA 10 MIN. E SERVITE.

MACCHERONI CHITARRA

INGREDIENTI PER 4 PERSONE:
400 gr. di maccheroni alla chitarra
200 gr. di polpa di agnello tagliata a pezzetti.
1/2 bicchiere d'olio d'oliva
2 spicchi d'aglio pestati
1 pezzettino di peperoncino rosso piccante; 1/2 bicchiere di vino bianco secco; 200 gr. di pomodori pelati 2 peperoni gialli senza semi e tagliati a listarelle; 1 foglia d'alloro; una buona manciata di pecorino grattugiato; sale e pepe.

I MACCHERONI ALLA CHITARRA O "TONNARELLI" SONO UNA FAMOSA SPECIALITÀ DELLA CUCINA ABRUZZESE, CHE IN FATTO DI PASTE È MAESTRA, COME DEL RESTO TUTTA L'ITALIA MERIDIONALE, FAVORITA ANCHE DAL DIVERSO TIPO DI FARINA DI GRANO DURO CHE FORMA UNA PASTA PIÙ DURA, ROBUSTA, ADATTA A SUGHI MOLTO SAPORITI.
I MACCHERONI ALLA CHITARRA SI TROVANO IN COMMERCIO, MA QUALORA VOLESTE PREPARARLI A MANO È NECESSARIO DISPORRE DEL CARATTERISTICO TELAIO A CHITARRA MUNITO DI FILI D'ACCIAIO, SOPRA I QUALI LA SFOGLIA, CHE È PIÙ SPESSA DI

DI AGNELLO PEPERONCI

ALLA
CON RAGÙ

QUELLE NORMALI, VIENE POSTA E PRESSATA DA UN MATTARELLO, IN MODO DA OTTENERE DELLE PICCOLE FETTUCCINE DI FORMATO QUADRANGOLARE.

IN UN TEGAME, POSSIBILMENTE DI TERRACOTTA, FATE IMBIONDIRE L'AGLIO, L'ALLORO E IL PEPERONCINO NELL'OLIO D'OLIVA. DOPO POCHI MINUTI UNITE LA POLPA D'AGNELLO A PEZZETTI E FATELA ROSOLARE BENE. QUANDO SARÀ ASCIUTTA E DI UN BEL COLORE DORATO, TOGLIETE L'AGLIO E LA PUNTA DI PEPERONCINO, AGGIUNGENDO INVECE SALE E PEPE. SPRUZZATELO CON IL VINO BIANCO E FATELO EVAPORARE. UNITE QUINDI I POMODORI SPEZZETTATI E LE LISTARELLE DI PEPERONE. PORTATE A BOLLORE E COPRITE IL TEGAME. APPENA LA CARNE SARÀ COTTA E IL SUGO DENSO, RITIRATELO DAL FUOCO. AVRETE FATTO CUOCERE IN TEMPO UTILE LA PASTA IN ABBONDANTE ACQUA SALATA; SCOLATELA AL DENTE E CONDITELA CON QUESTO PRELIBATO SUGHETTO. AGGIUNGETE IL PECORINO GRATTUGIATO E SERVITE.

IO

INGREDIENTI PER 4 PERSONE

gr. 500 di carne di manzo molto magra
1 cipolla; 100 gr. di lardo
2 chiodi di garofano
40 gr. di concentrato di pomodoro
gr. 200 di parmigiano grattugiato
400 gr. di maccheroni
cannella; sale e pepe.

TRITATE FINEMENTE LARDO E CIPOLLA, VERSATE IL TRITO IN UNA PENTOLA, PORTATE SUL FUOCO E SOFFRIGGETE UN POCO.
AGGIUNGETE LA CARNE, VOLTATELA E FATELA BEN ROSOLARE. SCIOGLIETE LA CONSERVA IN UN MESTOLO D'ACQUA, IRRORATENE LA CARNE, QUINDI SALATE, PEPATE E PROFUMATE CON UN PIZZICO DI CANNELLA E DUE CHIODI DI GAROFANO.
PROSEGUITE LA COTTURA PER CIRCA 2 ORE AGGIUNGENDO DI TANTO IN TANTO UN MESTOLO D'ACQUA, IN MODO CHE IL SUGO NON ABBIA A RESTRINGERE TROPPO.
IN UNA CAPIENTE CASSERUOLA BOLLITE ABBONDANTE ACQUA, SALATELA E CUOCETEVI I MACCHERONI.
SCOLATELI AL DENTE E CONDITELI CON IL FONDO DI COTTURA DELLA CARNE E IL FORMAGGIO GRATTUGIATO.

MACCHERONCINI con uova e salsiccia

INGREDIENTI PER 6 PERSONE:

600 gr. di piccoli maccheroni
2 cucchiaiate di olio di oliva
6 salsiccette fresche
brodo caldo
150 gr. di burro
4 uova intere
parmigiano grattugiato
sale e pepe

FATE SCIOGLIERE IN UNA CASSERUOLA L'OLIO E 50 gr. DI BURRO. SPELLATE QUINDI LE SALSICCE E TAGLIATELE A PICCOLI PEZZETTI CHE METTERETE A ROSOLARE NEL CONDIMENTO BOLLENTE. CONTINUATE LA COTTURA A FUOCO MODERATO E, PER NON FAR TROPPO ASCIUGARE, AGGIUNGETE DI TANTO IN TANTO DEL BRODO BOLLENTE. FATE CUOCERE I MACCHERONCINI IN ABBONDANTE ACQUA SALATA E QUANDO SARANNO GIUNTI A METÀ COTTURA, SCOLATELI E METTETELI IN UN GROSSO TEGAME CON IL CONDIMENTO DI SALSICCE. BAGNATELI CON UN MESTOLO DI BRODO (SE NECESSARIO UNITENE DELL'ALTRO, IN SEGUITO) E PORTATE IN QUESTO MODO LA COTTURA A TERMINE. POCHI MINUTI PRIMA DI SPEGNERE IL FUOCO, UNITE IL RESTO DEL BURRO, UNA MANCIATA DI PARMIGIANO, SALE E PEPE. IN UNA SCODELLA SBATTETE LE UOVA E VERSATELE SULLA PASTA, MESCOLANDO CON UNA FORCHETTA. COPRITE CON UN COPERCHIO, LASCIATE RAPPRENDERE LE UOVA E SERVITE A TAVOLA SENZA TRAVASARE IN UNA ZUPPIERA.

Maccheroni con le sarde

INGREDIENTI PER 4-6 PERSONE:

600 gr. di sarde freschissime
una bustina di zafferano
una cipolla affettata sottilmente
la parte verde di 3 finocchi teneri
olio di semi per friggere
400 gr. di maccheroncini rigati (o altra pasta corta)
50 gr. di pinoli
sale e pepe
olio vergine d'oliva
4 acciughe diliscate e ridotte in poltiglia
50 gr. di uvetta sultanina ammollata in acqua tiepida e poi strizzata.

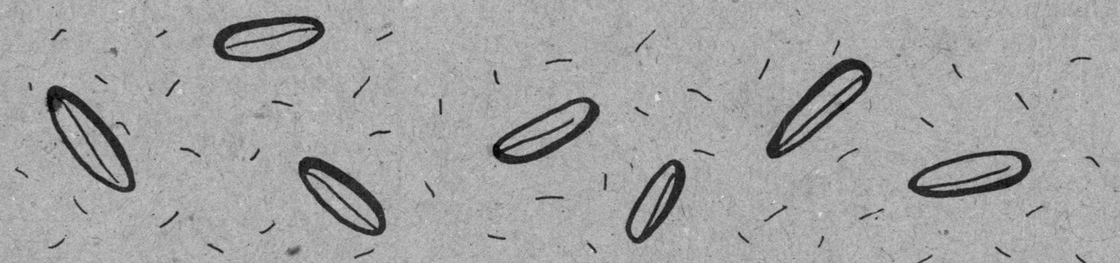

ECCO UN MODO PER RENDERE SPECIALE LA PASTASCIUTTA: INSAPORENDOLA CON UN GUSTOSISSIMO RAGÙ DI SARDE OTTENUTO MESCOLANDO MAGISTRALMENTE VARI SAPORI, OTTERRETE QUELLO CHE È, FORSE, IL PIÙ FAMOSO PIATTO SICILIANO.

FATE LESSARE PER POCHI MINUTI LA PARTE VERDE DEI FINOCCHI IN UNA CASSERUOLA CON ACQUA BOLLENTE SALATA, POI SCOLATELI E TRITATELI, TENENDO DA PARTE L'ACQUA DI COTTURA.
ALLE SARDE TOGLIETE LA TESTA, LA CODA, LE INTERIORA E LE LISCHE. FATE QUINDI ROSOLARE LA CIPOLLA IN 8 CUCCHIAI D'OLIO D'OLIVA. APPENA INIZIERÀ AD IMBIONDIRE, UNITE LE ACCIUGHE RIDOTTE IN PUREA E FATELE SCIOGLIERE CON UNA FORCHETTA. INSERITE IL TRITO DI FINOCCHI, L'UVETTA SMOLLATA, I PINOLI E METÀ DELLE SARDE. MESCOLATE IL TUTTO CON UN CUCCHIAIO DI LEGNO E SCHIACCIATE LE SARDE. VERSATE POI UN MESTOLO DI ACQUA, NEL QUALE AVRETE SCIOLTO LO ZAFFERANO. COPRITE LA CASSERUOLA E FATE CUOCERE PER UN QUARTO D'ORA A FUOCO BASSO AGGIUNGENDO ALTRA ACQUA CALDA SE RISULTERÀ TROPPO ASCIUTTO.
APPENA PRIMA DI RITIRARE DAL FUOCO, REGOLATE DI SALE E PEPE. NEL FRATTEMPO FATE FRIGGERE LE ALTRE SARDE IN UNA PADELLA CON OLIO DI SEMI BOLLENTE. UNA VOLTA DORATE, SCOLATELE E FATE ASSORBIRE L'UNTO SU UNA CARTA ASSORBENTE.
LESSATE AL DENTE I MACCHERONCINI NELL'ACQUA DI COTTURA DEI FINOCCHI E CONDITELI IN UNA TERRINA CON CIRCA METÀ DEL RAGÙ DI SARDE. IN UNA PIROFILA IMBURRATA DISPONETE UNO STRATO DI PASTASCIUTTA, UNO DI SARDE FRITTE, UN PO' DI RAGÙ, QUINDI PASTA .... E COSÌ DI SEGUITO. METTETE IN FORNO A GRATINARE PER UN QUARTO D'ORA E SERVITE CALDISSIMO.

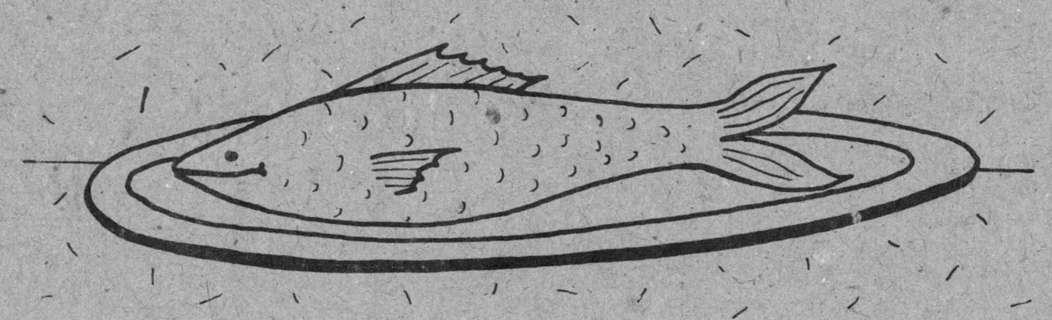

MACCHERONI al GORGONZOLA
IN UNA CASSERUOLA, DOVE AVRETE SCIOLTO IL BURRO, VERSATE I PEZZETTI DI GORGONZOLA. MESCOLATE, A FUOCO BASSO, CON UN CUCCHIAIO DI LEGNO. QUINDI AGGIUNGETE UN PO' DI ZUCCHERO, SALE, PEPE, PREZZEMOLO TRITATO E LA SALSA DI POMODORO DILUITA IN POCA ACQUA CALDA. CONTINUATE LA COTTURA PER 10 MINUTI E, POCO PRIMA DI TOGLIERE DAL FUOCO, VERSATE LA PANNA LIQUIDA, OTTENENDO UNA MORBIDA CREMA CHE UTILIZZERETE PER CONDIRE I MACCHERONI, LESSATI AL DENTE IN ABBONDANTE ACQUA SALATA.
INGREDIENTI PER 4 PERSONE:
400 gr. di maccheroni
50 gr. di burro
200 gr. di gorgonzola del tipo piuttosto piccante, tagliato a pezzetti
una manciata di prezzemolo tritato
1/2 bicchiere di panna liquida
2 cucchiai di salsa di pomodoro concentrata
un pizzico di zucchero
sale e pepe

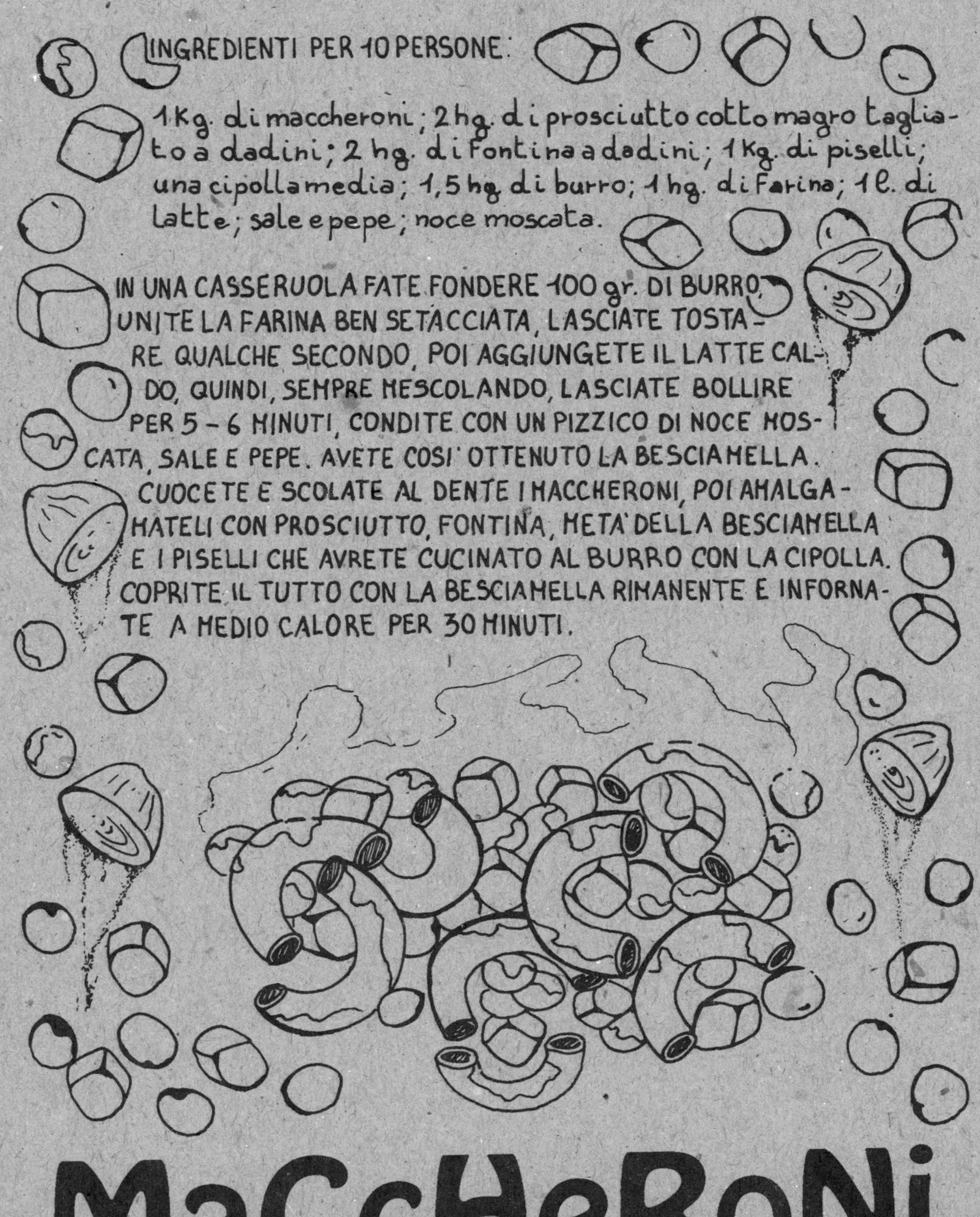

INGREDIENTI PER 10 PERSONE:

1 Kg. di maccheroni; 2 hg. di prosciutto cotto magro tagliato a dadini; 2 hg. di fontina a dadini; 1 Kg. di piselli; una cipolla media; 1,5 hg. di burro; 1 hg. di farina; 1 l. di latte; sale e pepe; noce moscata.

IN UNA CASSERUOLA FATE FONDERE 100 gr. DI BURRO, UNITE LA FARINA BEN SETACCIATA, LASCIATE TOSTARE QUALCHE SECONDO, POI AGGIUNGETE IL LATTE CALDO, QUINDI, SEMPRE MESCOLANDO, LASCIATE BOLLIRE PER 5 - 6 MINUTI, CONDITE CON UN PIZZICO DI NOCE MOSCATA, SALE E PEPE. AVETE COSI' OTTENUTO LA BESCIAMELLA. CUOCETE E SCOLATE AL DENTE I MACCHERONI, POI AMALGAMATELI CON PROSCIUTTO, FONTINA, METÀ DELLA BESCIAMELLA E I PISELLI CHE AVRETE CUCINATO AL BURRO CON LA CIPOLLA. COPRITE IL TUTTO CON LA BESCIAMELLA RIMANENTE E INFORNATE A MEDIO CALORE PER 30 MINUTI.

MaCcHeRoNi alla bersagliera

MACCHERONI con polpette

INGREDIENTI PER 4 PERSONE:
PREPARAZIONE DELLE POLPETTE:
300 gr. di carne di vitello macinata; 50 gr. di parmigiano grattugiato; 2 uova intere; una manciata di prezzemolo tritatato; sale e pepe; un po' di farina; 1/2 spicchio d'aglio tritato; 50 gr. di prosciutto tritato; olio per friggere.

PER LA PASTA:
400 gr. di maccheroni; un sugo di pomodoro fresco ottenuto rosolando nel burro pomodori pelati; alcune foglie di basilico; sale e pepe e una cipolletta tritata; pecorino grattugiato.

PREPARATE DAPPRIMA LE POLPETTE MESCOLANDO IN UNA TERRINA LA CARNE MACINATA, LE UOVA, IL PARMIGIANO GRATTUGIATO, IL PROSCIUTTO, IL PREZZEMOLO, L'AGLIO TRITATO E UN PIZZICO DI SALE E DI PEPE. AMALGAMATE BENE TUTTI GLI INGREDIENTI FORMANDO UN COMPOSTO OMOGENEO; RICAVATE DA ESSO TANTE PALLINE CHE MODELLERETE CON LE MANI UNTE D'OLIO. QUINDI PASSATELE NELLA FARINA E FRIGGETELE NELL'OLIO BOLLENTE. FATELE POI RIPOSARE SOPRA UNA CARTA ASSORBENTE.
LESSATE I MACCHERONI AL DENTE E CONDITELI CON IL SUGO DI POMODORO PREPARATO PRECEDENTEMENTE E LE POLPETTINE DI CARNE.
PRESENTATE QUESTI DELIZIOSI MACCHERONI IN UN PIATTO DI PORTATA, COSPARSI DI PECORINO PICCANTE GRATTUGIATO.

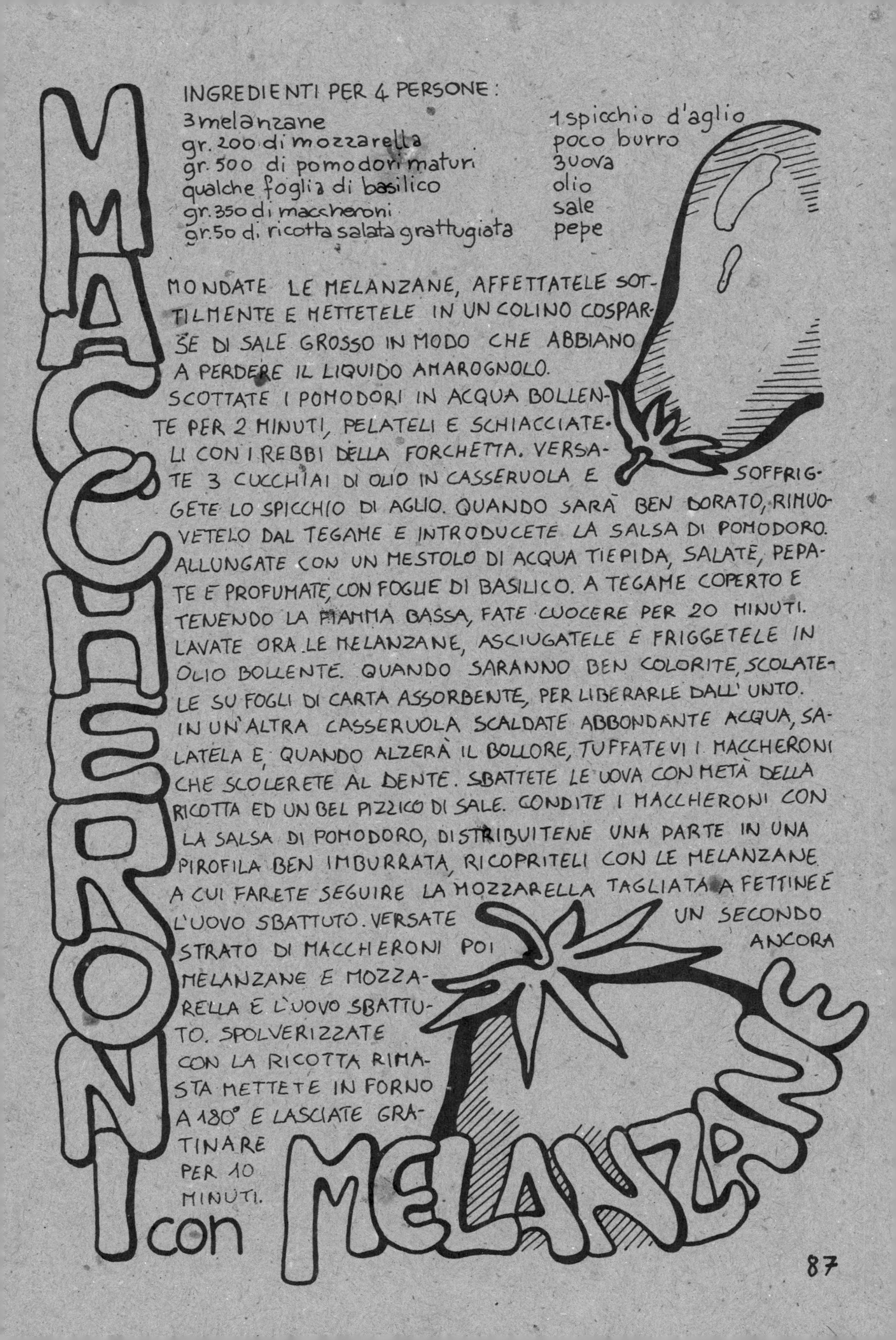

MACCHERONI con MELANZANE

INGREDIENTI PER 4 PERSONE:

- 3 melanzane
- gr. 200 di mozzarella
- gr. 500 di pomodori maturi
- qualche foglia di basilico
- gr. 350 di maccheroni
- gr. 50 di ricotta salata grattugiata
- 1 spicchio d'aglio
- poco burro
- 3 uova
- olio
- sale
- pepe

MONDATE LE MELANZANE, AFFETTATELE SOTTILMENTE E METTETELE IN UN COLINO COSPARSE DI SALE GROSSO IN MODO CHE ABBIANO A PERDERE IL LIQUIDO AMAROGNOLO. SCOTTATE I POMODORI IN ACQUA BOLLENTE PER 2 MINUTI, PELATELI E SCHIACCIATELI CON I REBBI DELLA FORCHETTA. VERSATE 3 CUCCHIAI DI OLIO IN CASSERUOLA E SOFFRIGGETE LO SPICCHIO DI AGLIO. QUANDO SARÀ BEN DORATO, RIMUOVETELO DAL TEGAME E INTRODUCETE LA SALSA DI POMODORO. ALLUNGATE CON UN MESTOLO DI ACQUA TIEPIDA, SALATE, PEPATE E PROFUMATE, CON FOGLIE DI BASILICO. A TEGAME COPERTO E TENENDO LA FIAMMA BASSA, FATE CUOCERE PER 20 MINUTI. LAVATE ORA LE MELANZANE, ASCIUGATELE E FRIGGETELE IN OLIO BOLLENTE. QUANDO SARANNO BEN COLORITE, SCOLATELE SU FOGLI DI CARTA ASSORBENTE, PER LIBERARLE DALL'UNTO. IN UN'ALTRA CASSERUOLA SCALDATE ABBONDANTE ACQUA, SALATELA E, QUANDO ALZERÀ IL BOLLORE, TUFFATEVI I MACCHERONI CHE SCOLERETE AL DENTE. SBATTETE LE UOVA CON METÀ DELLA RICOTTA ED UN BEL PIZZICO DI SALE. CONDITE I MACCHERONI CON LA SALSA DI POMODORO, DISTRIBUITENE UNA PARTE IN UNA PIROFILA BEN IMBURRATA, RICOPRITELI CON LE MELANZANE A CUI FARETE SEGUIRE LA MOZZARELLA TAGLIATA A FETTINE E L'UOVO SBATTUTO. VERSATE UN SECONDO STRATO DI MACCHERONI POI ANCORA MELANZANE E MOZZARELLA E L'UOVO SBATTUTO. SPOLVERIZZATE CON LA RICOTTA RIMASTA METTETE IN FORNO A 180° E LASCIATE GRATINARE PER 10 MINUTI.

MACCHERONI AL RAGÙ DI TONNO
INGREDIENTI PER 6 PERSONE:
600gr. di maccheroni
1 Kg: di tonno fresco (possibilmente
la parte della coda chiamata
"tarantello"), che in parte vi
servirà anche come secondo
piatto.
1 ciuffo di foglie di menta
1 spicchio d'aglio pestato ed
uno tritato
1 bicchiere d'olio d'oliva
2 cipolle affettate sottilmente
farina q.b. per impanare
600 gr. di pomodori maturi
1/2 bicchiere di vino bianco secco
sale e pepe.

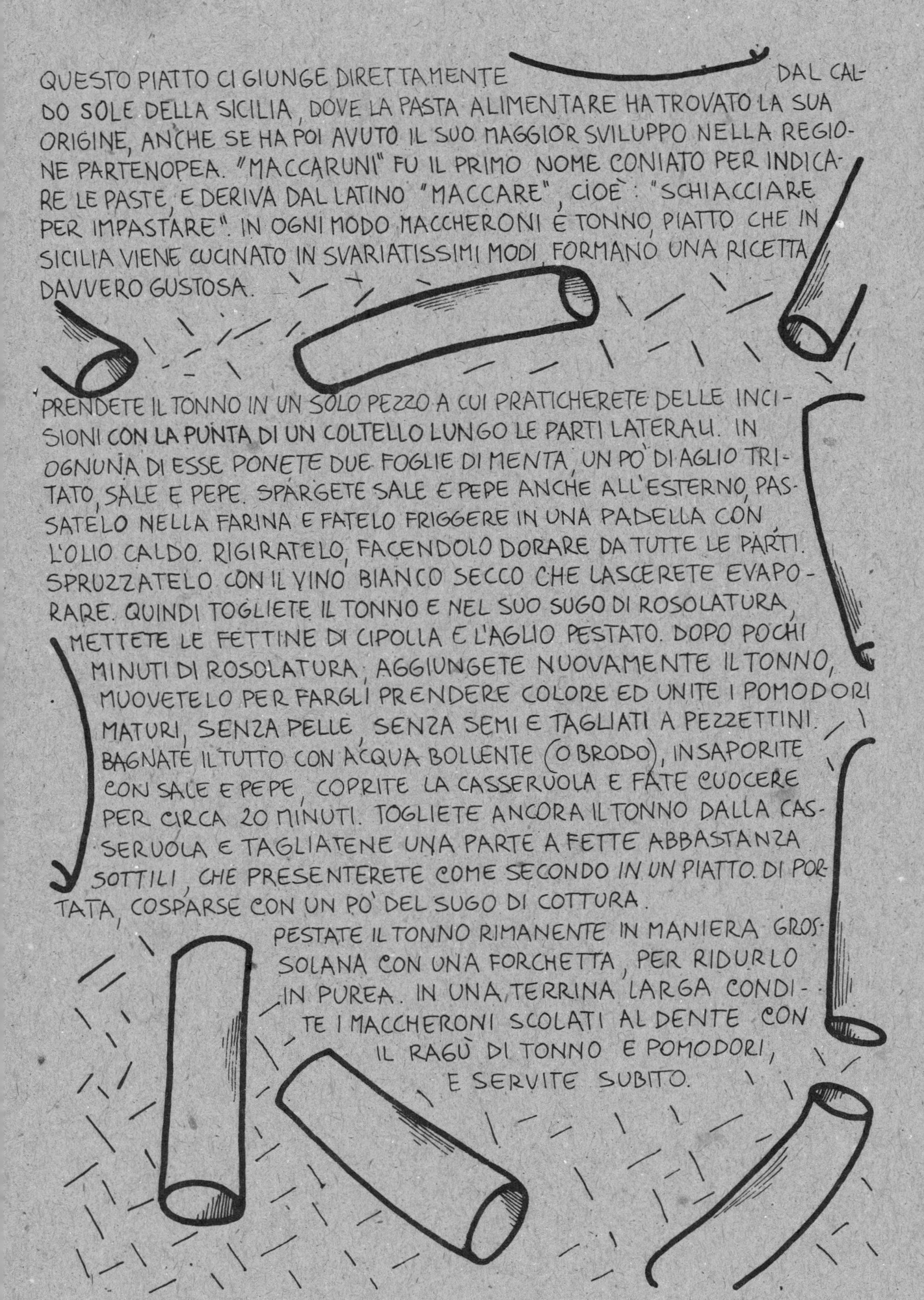

QUESTO PIATTO CI GIUNGE DIRETTAMENTE DAL CALDO SOLE DELLA SICILIA, DOVE LA PASTA ALIMENTARE HA TROVATO LA SUA ORIGINE, ANCHE SE HA POI AVUTO IL SUO MAGGIOR SVILUPPO NELLA REGIONE PARTENOPEA. "MACCARUNI" FU IL PRIMO NOME CONIATO PER INDICARE LE PASTE, E DERIVA DAL LATINO "MACCARE", CIOÈ: "SCHIACCIARE PER IMPASTARE". IN OGNI MODO MACCHERONI E TONNO, PIATTO CHE IN SICILIA VIENE CUCINATO IN SVARIATISSIMI MODI, FORMANO UNA RICETTA DAVVERO GUSTOSA.

PRENDETE IL TONNO IN UN SOLO PEZZO A CUI PRATICHERETE DELLE INCISIONI CON LA PUNTA DI UN COLTELLO LUNGO LE PARTI LATERALI. IN OGNUNA DI ESSE PONETE DUE FOGLIE DI MENTA, UN PO' DI AGLIO TRITATO, SALE E PEPE. SPARGETE SALE E PEPE ANCHE ALL'ESTERNO, PASSATELO NELLA FARINA E FATELO FRIGGERE IN UNA PADELLA CON L'OLIO CALDO. RIGIRATELO, FACENDOLO DORARE DA TUTTE LE PARTI. SPRUZZATELO CON IL VINO BIANCO SECCO CHE LASCERETE EVAPORARE. QUINDI TOGLIETE IL TONNO E NEL SUO SUGO DI ROSOLATURA, METTETE LE FETTINE DI CIPOLLA E L'AGLIO PESTATO. DOPO POCHI MINUTI DI ROSOLATURA, AGGIUNGETE NUOVAMENTE IL TONNO, MUOVETELO PER FARGLI PRENDERE COLORE ED UNITE I POMODORI MATURI, SENZA PELLE, SENZA SEMI E TAGLIATI A PEZZETTINI. BAGNATE IL TUTTO CON ACQUA BOLLENTE (O BRODO), INSAPORITE CON SALE E PEPE, COPRITE LA CASSERUOLA E FATE CUOCERE PER CIRCA 20 MINUTI. TOGLIETE ANCORA IL TONNO DALLA CASSERUOLA E TAGLIATENE UNA PARTE A FETTE ABBASTANZA SOTTILI, CHE PRESENTERETE COME SECONDO IN UN PIATTO DI PORTATA, COSPARSE CON UN PO' DEL SUGO DI COTTURA.

PESTATE IL TONNO RIMANENTE IN MANIERA GROSSOLANA CON UNA FORCHETTA, PER RIDURLO IN PUREA. IN UNA TERRINA LARGA CONDITE I MACCHERONI SCOLATI AL DENTE CON IL RAGÙ DI TONNO E POMODORI, E SERVITE SUBITO.

RIGATONI CON LA PAGLIATA

INGREDIENTI PER 6 PERSONE:
1 Kg. e mezzo di pagliata, di bue o di vitello, già pulita e spellata dal macellaio; un trito di carota, cipolla, sedano e prezzemolo; 100 gr. di prosciutto grasso tagliato a dadini, 2 spicchi d'aglio schiacciati, 1/2 bicchiere di olio d'oliva; 1 bicchiere di vino bianco secco; 400 gr. di rigatoni; 2 cucchiai di salsa di pomodoro concentrata; pecorino grattugiato; sale e pepe.

A ROMA SI CHIAMA PAGLIATA LA PARTE DELL'INTESTINO DI BUE O DI VITELLO, CHE SAREBBE POI IL DUODENO, CONTENENTE IL "CHINO" UNA SOSTANZA MOLTO SAPORITA. ACQUISTATELA GIA' PRONTA, SENZA PELLE, E TAGLIATELA IN PEZZI PIUTTOSTO LUNGHI, CIRCA 25 cm... ORA PROCEDETE COL CONGIUNGERLI ALLE ESTREMITA' CON DEL FILO BIANCO. FATE SOFFRIGGERE IN UNA CASSERUOLA CONTENENTE L'OLIO D'OLIVA, IL TRITO DI VERDURE E IL PROSCIUTTO A DADINI. DOPO POCHI MINUTI DI ROSOLATURA TOGLIETE GLI SPICCHI D'AGLIO E UNITE LA PAGLIATA CHE AVETE PREPARATO. SALATE, PEPATE E SPRUZZATE CON IL VINO BIANCO SECCO. QUANDO QUEST'ULTIMO SARA' EVAPORATO AGGIUNGETE LA SALSA DI POMODORO DILUITA IN UN MESTOLO D'ACQUA CALDA. QUINDI COPRITE LA CASSERUOLA E A FUOCO LENTO FATE CONTINUARE LA COTTURA PER CIRCA 2 ORE (SE SI TRATTA DI PAGLIATA DI VITELLO ANCHE MENO). IN TEMPO UTILE LESSATE I RIGATONI IN ABBONDANTE ACQUA SALATA E DISPONETELI IN UN LARGO PIATTO DI PORTATA, PONENDO TUTT'INTORNO LA PAGLIATA E IL SUGO.
AGGIUNGETE COME TOCCO FINALE UNO STRATO DI PECORINO GRATTUGIATO E SERVITE.

LESSATE I RIGATONI IN ABBONDANTE ACQUA SALATA. MENTRE CUOCIONO, TAGLIATE L'EMMENTHAL A DADINI E METTERLO A FONDERE IN UN TEGAME. AGGIUNGETE LA PANNA, SALATE PEPATE E AMALGAMATE BENE IL COMPOSTO. SCOLATE LA PASTA E VERSATELA DIRETTAMENTE NEL TEGAME. MANTECATE, CONDITE CON IL PARMIGIANO GRATTUGIATO E SERVITE BEN CALDO.

INGREDIENTI:

500 gr. di rigatoni
200 gr. di Emmenthal
2 dl. di panna da cucina
100 gr. di Parmigiano
pepe bianco
sale.

RIGATONI con fonduta e zucchine

LAVATE LE ZUCCHINE, TOGLIETE LE 2 ESTREMITÀ E TAGLIATELE A RONDELLE. IN UNA PADELLA, SCALDATE MEZZO BICCHIERE DI OLIO NEL QUALE METTERETE UN TRITO DI CIPOLLA, AGLIO E PREZZEMOLO. QUANDO IL TUTTO SARÀ BEN ROSOLATO, AGGIUNGETE LE ZUCCHINE E SOFFRIGGETE PER 5 MINUTI. COPRITE IL SOFFRITTO CON UN PO' D'ACQUA A CUI AGGIUNGERETE IL DADO E LA NOCE MOSCATA, INCOPERCHIATE E LASCIATE CUOCERE A FUOCO BASSO FINO A CHE L'ACQUA NON EVAPORI, FATE FONDERE 400 gr. DI BURRO E UNITEVI L'EMMENTHAL TAGLIATO A DADINI. MESCOLATE E AGGIUNGETE IL LATTE A FILO. CONTINUATE A CUOCERE SENZA MAI SMETTERE DI MESCOLARE E QUANDO L'EMMENTHAL COMINCERÀ A FILARE, INCORPORATE IL TUORLO; TRAVASATE IL COMPOSTO IN UNA PENTOLA PIÙ GROSSA E FATE BOLLIRE. LESSATE I RIGATONI IN ACQUA SALATA, SCOLATEVI, CONDITELI CON IL RESTANTE BURRO, IL FORMAGGIO E LE ZUCCHINE. SERVITE BEN CALDO.

INGREDIENTI:

- 500 gr. di rigatoni
- 70 gr. di burro
- 1/2 dl. di latte
- prezzemolo
- aglio
- un tuorlo
- una cipolla di piccole dimensioni
- 400 gr. di zucchine
- 200 gr. di Emmenthal
- mezzo dado per brodo
- noce moscata
- sale

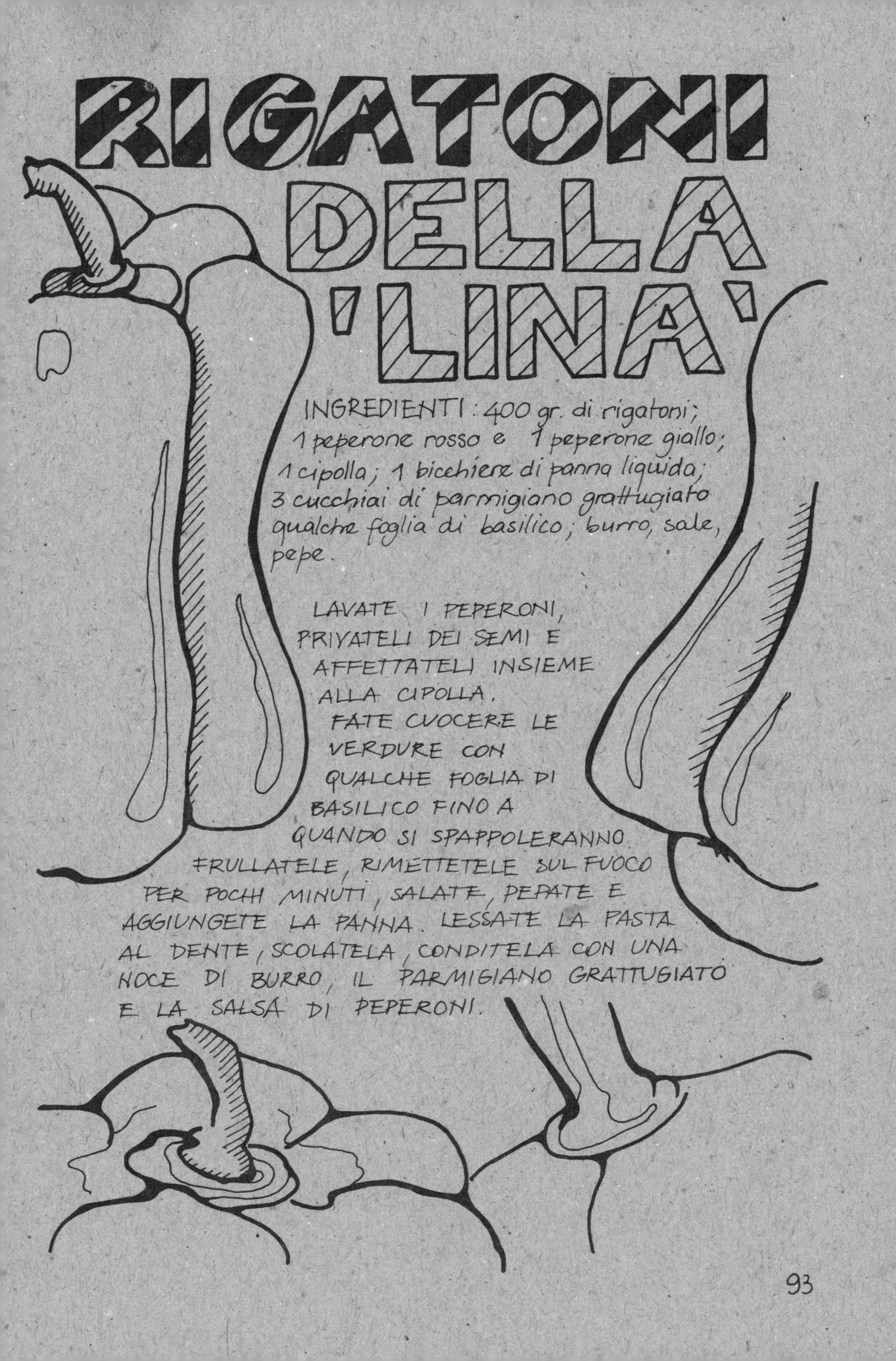

RIGATONI DELLA 'LINA'

INGREDIENTI: 400 gr. di rigatoni; 1 peperone rosso e 1 peperone giallo; 1 cipolla; 1 bicchiere di panna liquida; 3 cucchiai di parmigiano grattugiato qualche foglia di basilico; burro, sale, pepe.

LAVATE I PEPERONI, PRIVATELI DEI SEMI E AFFETTATELI INSIEME ALLA CIPOLLA. FATE CUOCERE LE VERDURE CON QUALCHE FOGLIA DI BASILICO FINO A QUANDO SI SPAPPOLERANNO. FRULLATELE, RIMETTETELE SUL FUOCO PER POCHI MINUTI, SALATE, PEPATE E AGGIUNGETE LA PANNA. LESSATE LA PASTA AL DENTE, SCOLATELA, CONDITELA CON UNA NOCE DI BURRO, IL PARMIGIANO GRATTUGIATO E LA SALSA DI PEPERONI.

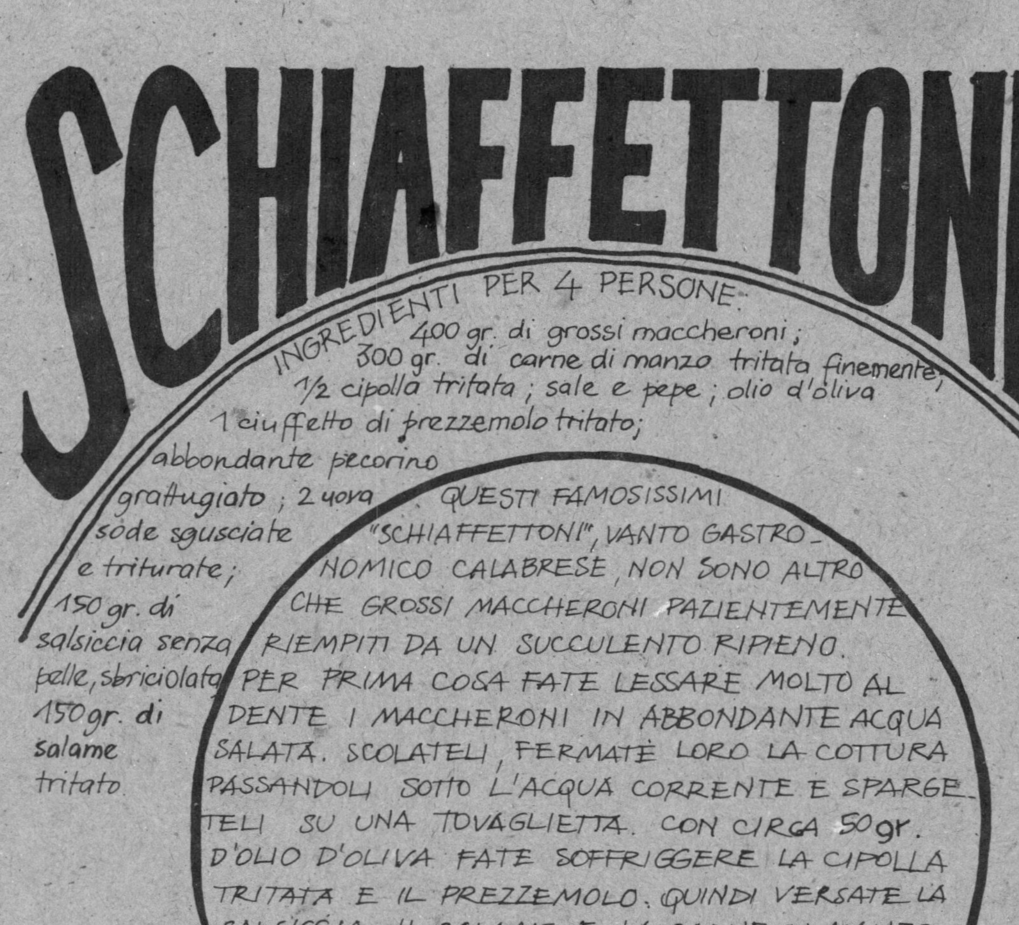

SCHIAFFETTONI

INGREDIENTI PER 4 PERSONE:

400 gr. di grossi maccheroni;
300 gr. di carne di manzo tritata finemente;
1/2 cipolla tritata; sale e pepe; olio d'oliva
1 ciuffetto di prezzemolo tritato;
abbondante pecorino grattugiato; 2 uova sode sgusciate e triturate;
150 gr. di salsiccia senza pelle, sbriciolata;
150 gr. di salame tritato.

QUESTI FAMOSISSIMI "SCHIAFFETTONI", VANTO GASTRONOMICO CALABRESE, NON SONO ALTRO CHE GROSSI MACCHERONI PAZIENTEMENTE RIEMPITI DA UN SUCCULENTO RIPIENO.
PER PRIMA COSA FATE LESSARE MOLTO AL DENTE I MACCHERONI IN ABBONDANTE ACQUA SALATA. SCOLATELI, FERMATE LORO LA COTTURA PASSANDOLI SOTTO L'ACQUA CORRENTE E SPARGETELI SU UNA TOVAGLIETTA. CON CIRCA 50 gr. D'OLIO D'OLIVA FATE SOFFRIGGERE LA CIPOLLA TRITATA E IL PREZZEMOLO. QUINDI VERSATE LA SALSICCIA, IL SALAME E LA CARNE DI MANZO. SALATE, PEPATE, AGGIUNGETE QUALCHE CUCCHIAIATA D'ACQUA CALDA E COPRITE IL TEGAME, CONTINUANDO LA COTTURA PER MEZZA ORA A FUOCO LENTISSIMO. QUANDO SARÀ BEN COLORITO E DENSO, FILTRATE IL SUGO ATTRAVERSO UN COLINO E TENETE DA PARTE IL CONDIMENTO CHE NE ESCE IN UNA SCODELLINA. IN UNA TERRINA MESCOLATE ORA IL SUGO SCOLATO DI CARNE SALSICCIA E SALAME, LE DUE UOVA SODE TRITURATE, UNA MANCIATA DI PECORINO E UNA MANCIATINA DI PEPE. CON QUESTO COMPOSTO, CHE DEVE RISULTARE MOLTO MORBIDO, DISPONETELI A STRATI IN UNA TEGLIA UNTA. AD OGNI STRATO E IN SUPERFICIE DISTRIBUITE UN PO' DEL CONDIMENTO DI CARNE ED ALTRO PECORINO. FATE GRATINARE A FORNO CALDO PER 20 MIN.

TORCIGLIONI CON LA SALSICCIA

TOGLIETE LA PELLE ALLA SALSICCIA E TAGLIATELA A PEZZETTI. METTETELA A ROSOLARE IN UNA CASSERUOLA CON IL BURRO E L'OLIO. SPRUZZATELA CON 1/2 BICCHIERE DI VINO ROSSO E FATELA EVAPORARE. UNITE LA SALSA DI POMODORO CONCENTRATA DILUITA IN UN MESTOLO DI BRODO CALDO. AGGIUNGETE IL BASILICO TRITATO CON UN PIZZICO DI SALE E UNA SPOLVERATINA DI PEPE. MESCOLATE E, A FUOCO LENTO, LASCIATE CUOCERE PER UNA MEZZ'ORA O PIÙ, AGGIUNGENDO ALTRO BRODO SE NECESSARIO. NEL FRATTEMPO PREPARATE I TORCIGLIONI LESSATI E SCOLATI AL DENTE. CONDITELI IN UNA TERRINA CON LA SALSICCIA ED IL SUO CONDIMENTO, MESCOLANDO BENE. SERVITE ACCOMPAGNANDO A PECORINO GRATTUGIATO.

INGREDIENTI PER 4 PERSONE:

400 gr. di torciglioni
300 gr. di salsiccia
2 cucchiai di salsa di pomodoro concentrata
1 mestolo di brodo caldo
1/2 bicchiere di vino rosso
60 gr. di burro
4 cucchiaiate d'olio
1 pugnetto di foglie di basilico tritate
pecorino grattugiato
sale e pepe

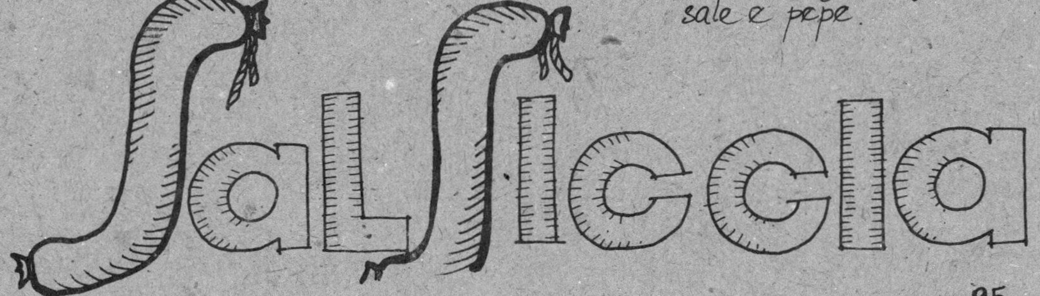

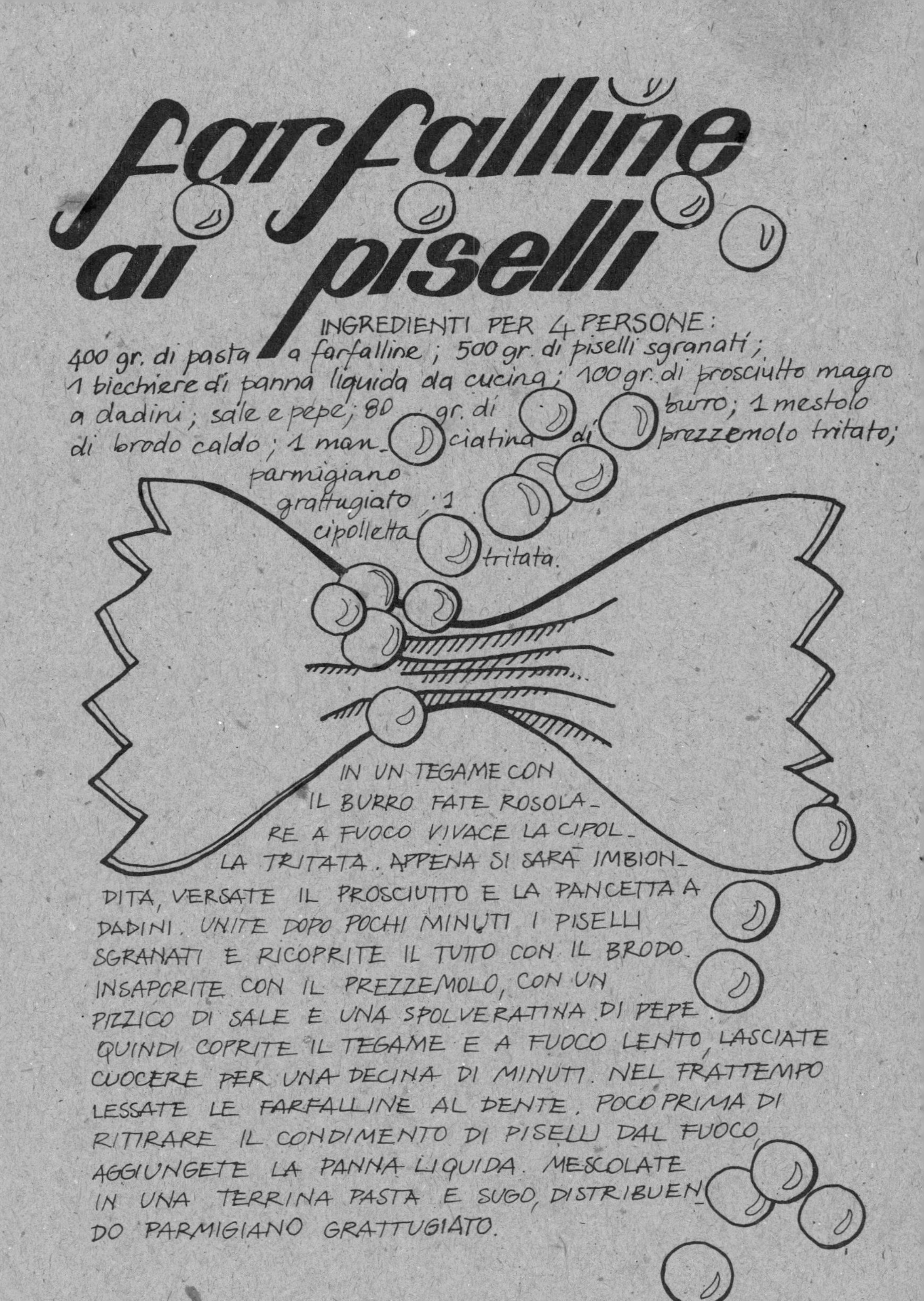
farfalline
ai piselli
INGREDIENTI PER 4 PERSONE:
400 gr. di pasta a farfalline; 500 gr. di piselli sgranati;
1 bicchiere di panna liquida da cucina; 100 gr. di prosciutto magro
a dadini; sale e pepe; 80 gr. di burro; 1 mestolo
di brodo caldo; 1 manciatina di prezzemolo tritato;
parmigiano
grattugiato; 1
cipolletta
tritata.
IN UN TEGAME CON
IL BURRO FATE ROSOLA-
RE A FUOCO VIVACE LA CIPOL-
LA TRITATA. APPENA SI SARÀ IMBION-
DITA, VERSATE IL PROSCIUTTO E LA PANCETTA A
DADINI. UNITE DOPO POCHI MINUTI I PISELLI
SGRANATI E RICOPRITE IL TUTTO CON IL BRODO.
INSAPORITE CON IL PREZZEMOLO, CON UN
PIZZICO DI SALE E UNA SPOLVERATINA DI PEPE.
QUINDI COPRITE IL TEGAME E A FUOCO LENTO, LASCIATE
CUOCERE PER UNA DECINA DI MINUTI. NEL FRATTEMPO
LESSATE LE FARFALLINE AL DENTE. POCO PRIMA DI
RITIRARE IL CONDIMENTO DI PISELLI DAL FUOCO,
AGGIUNGETE LA PANNA LIQUIDA. MESCOLATE
IN UNA TERRINA PASTA E SUGO, DISTRIBUEN-
DO PARMIGIANO GRATTUGIATO.

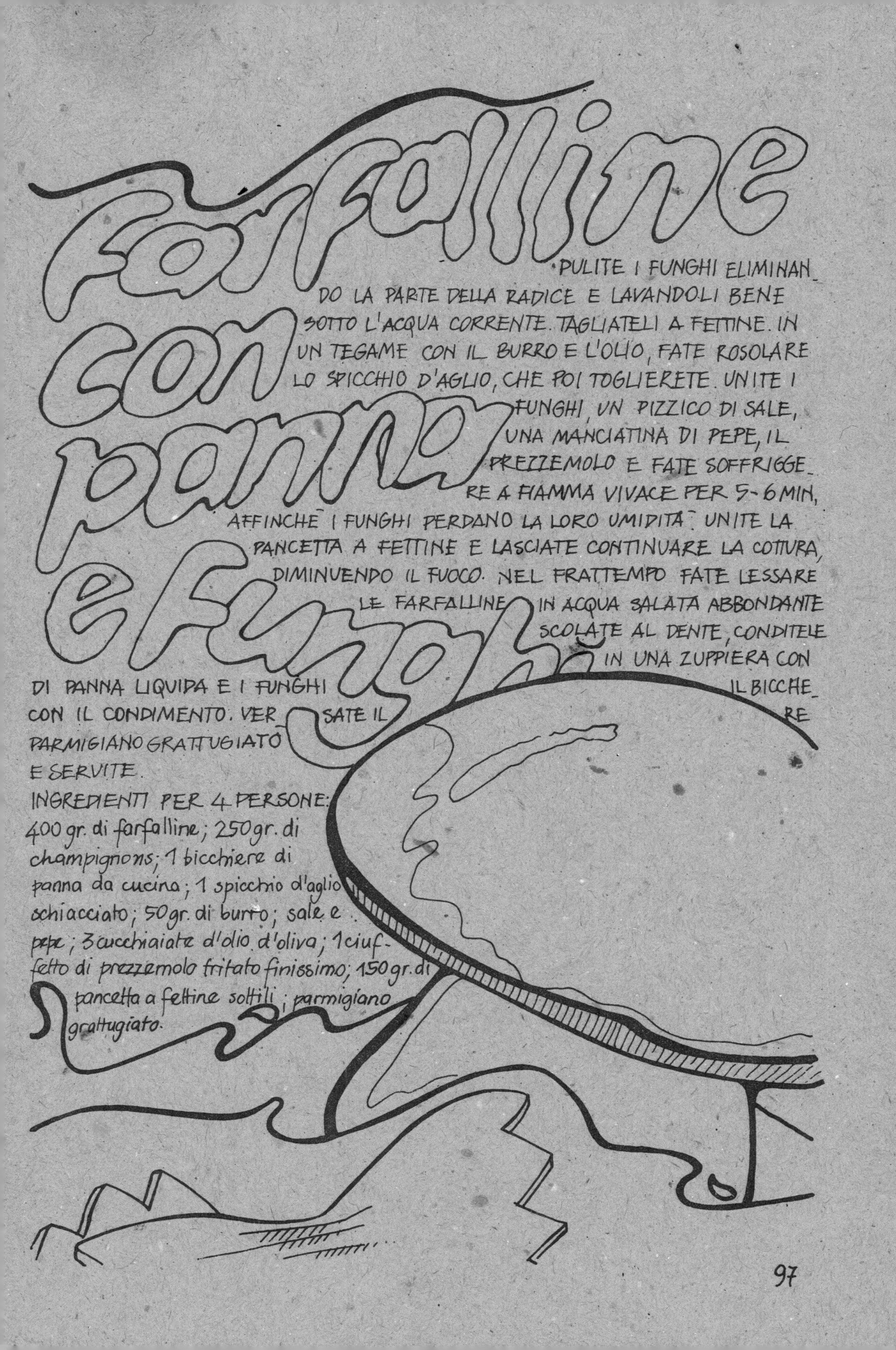

Farfalline con panna e funghi

PULITE I FUNGHI ELIMINANDO LA PARTE DELLA RADICE E LAVANDOLI BENE SOTTO L'ACQUA CORRENTE. TAGLIATELI A FETTINE. IN UN TEGAME CON IL BURRO E L'OLIO, FATE ROSOLARE LO SPICCHIO D'AGLIO, CHE POI TOGLIERETE. UNITE I FUNGHI, UN PIZZICO DI SALE, UNA MANCIATINA DI PEPE, IL PREZZEMOLO E FATE SOFFRIGGERE A FIAMMA VIVACE PER 5-6 MIN, AFFINCHÈ I FUNGHI PERDANO LA LORO UMIDITÀ. UNITE LA PANCETTA A FETTINE E LASCIATE CONTINUARE LA COTTURA, DIMINUENDO IL FUOCO. NEL FRATTEMPO FATE LESSARE LE FARFALLINE IN ACQUA SALATA ABBONDANTE SCOLATE AL DENTE, CONDITELE IN UNA ZUPPIERA CON IL BICCHIERE DI PANNA LIQUIDA E I FUNGHI CON IL CONDIMENTO. VERSATE IL PARMIGIANO GRATTUGIATO E SERVITE.

INGREDIENTI PER 4 PERSONE:
400 gr. di farfalline; 250 gr. di champignons; 1 bicchiere di panna da cucina; 1 spicchio d'aglio schiacciato; 50 gr. di burro; sale e pepe; 3 cucchiaiate d'olio d'oliva; 1 ciuffetto di prezzemolo tritato finissimo; 150 gr. di pancetta a fettine sottili; parmigiano grattugiato.

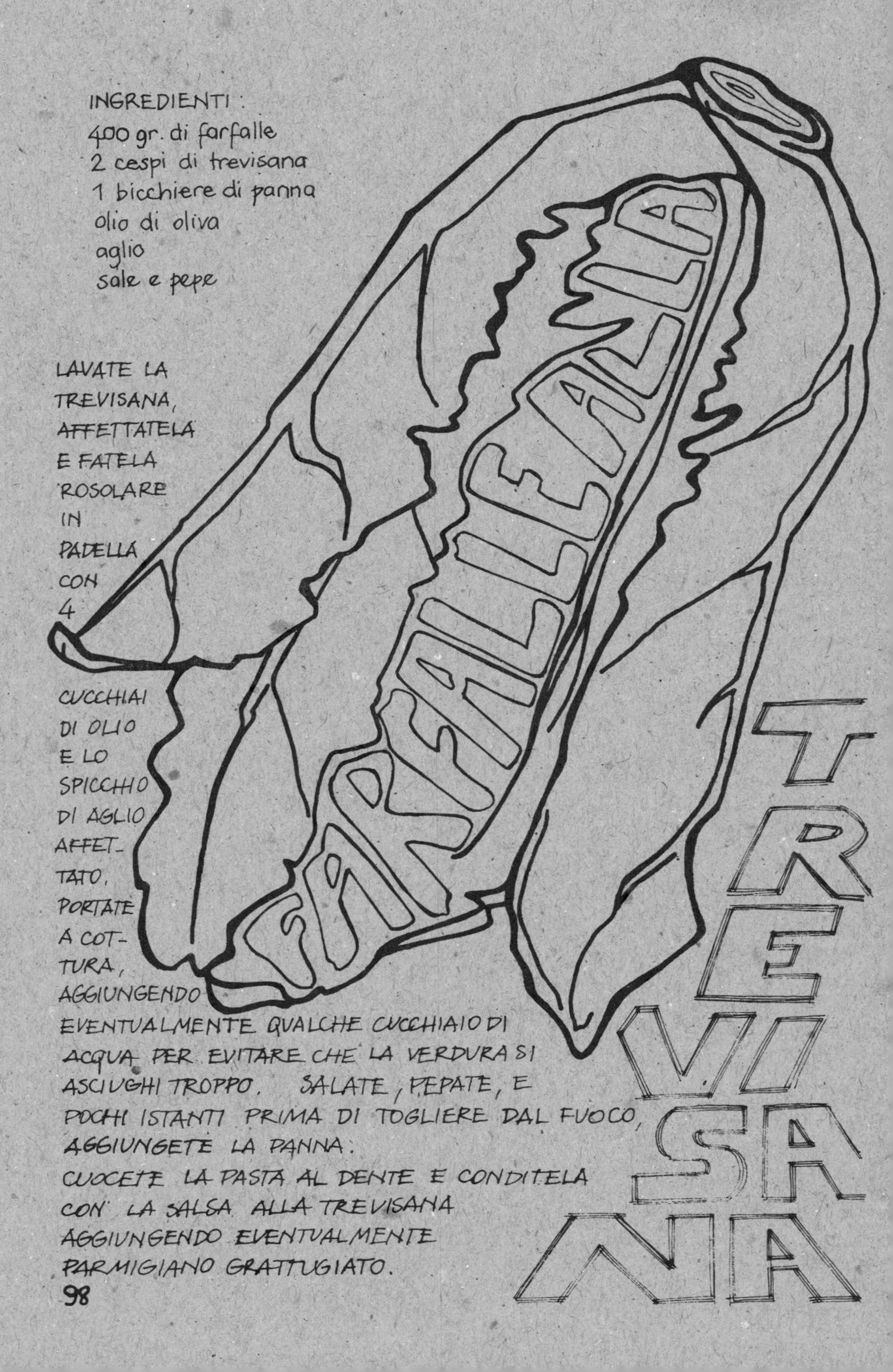

FARFALLE TREVISANA

INGREDIENTI:
400 gr. di farfalle
2 cespi di trevisana
1 bicchiere di panna
olio di oliva
aglio
sale e pepe

LAVATE LA TREVISANA, AFFETTATELA E FATELA ROSOLARE IN PADELLA CON 4 CUCCHIAI DI OLIO E LO SPICCHIO DI AGLIO AFFETTATO. PORTATE A COTTURA, AGGIUNGENDO EVENTUALMENTE QUALCHE CUCCHIAIO DI ACQUA PER EVITARE CHE LA VERDURA SI ASCIUGHI TROPPO. SALATE, PEPATE, E POCHI ISTANTI PRIMA DI TOGLIERE DAL FUOCO, AGGIUNGETE LA PANNA.
CUOCETE LA PASTA AL DENTE E CONDITELA CON LA SALSA ALLA TREVISANA AGGIUNGENDO EVENTUALMENTE PARMIGIANO GRATTUGIATO.

FARFALLE

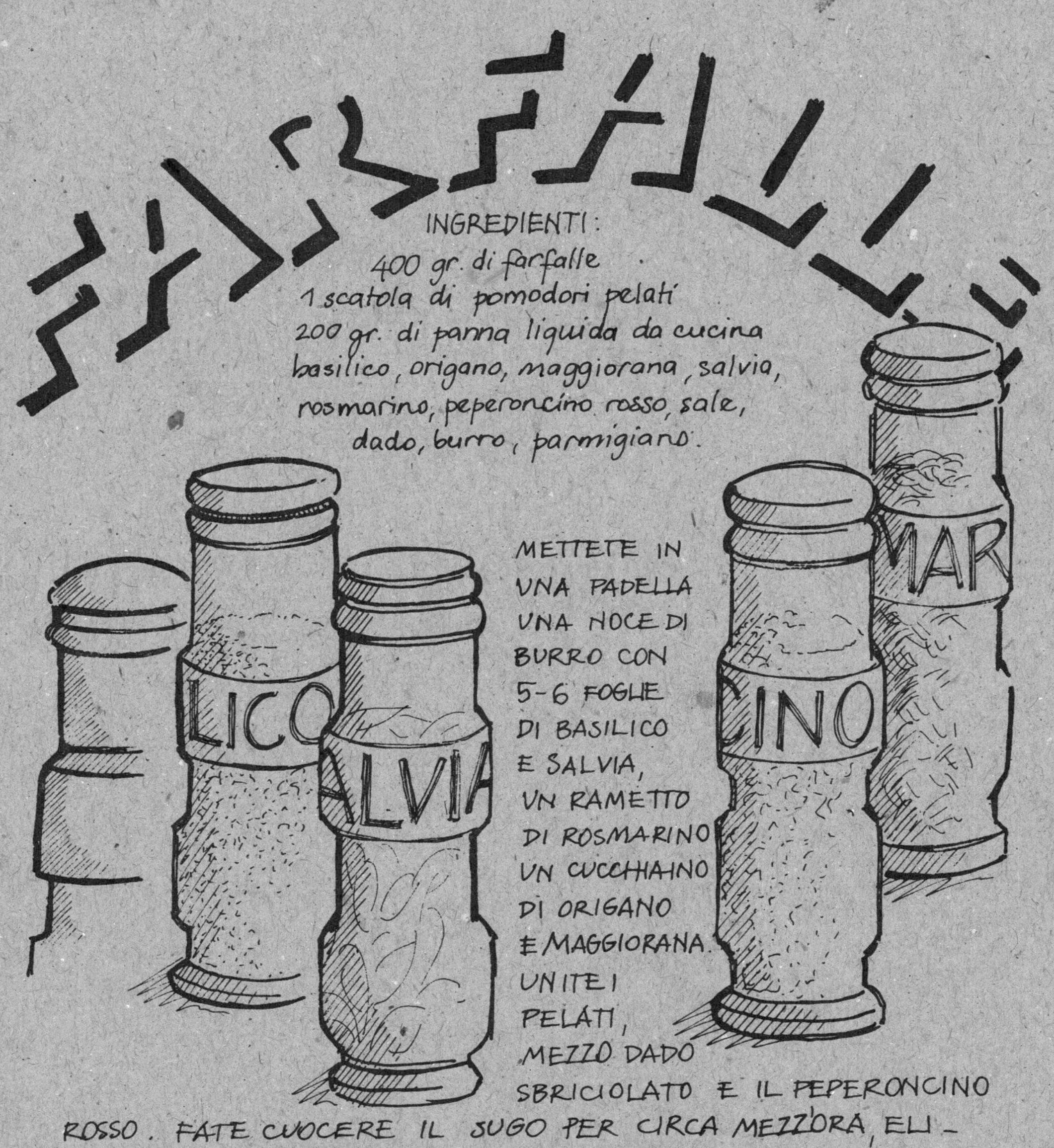

INGREDIENTI:

400 gr. di farfalle
1 scatola di pomodori pelati
200 gr. di panna liquida da cucina
basilico, origano, maggiorana, salvia,
rosmarino, peperoncino rosso, sale,
dado, burro, parmigiano.

METTETE IN UNA PADELLA UNA NOCE DI BURRO CON 5-6 FOGLIE DI BASILICO E SALVIA, UN RAMETTO DI ROSMARINO UN CUCCHIAINO DI ORIGANO E MAGGIORANA. UNITE I PELATI, MEZZO DADO SBRICIOLATO E IL PEPERONCINO ROSSO. FATE CUOCERE IL SUGO PER CIRCA MEZZ'ORA, ELIMINATE IL PEPERONCINO E FRULLATE LA SALSA. RIMETTETE SUL FUOCO E UNITE LA PANNA FACENDO CUOCERE ANCORA QUALCHE MINUTO. LESSATE LE FARFALLE AL DENTE, CONDITELE CON LA SALSA DI POMODORO E ABBONDANTE PARMIGIANO GRATTUGIATO.

ALLA 'RITA'

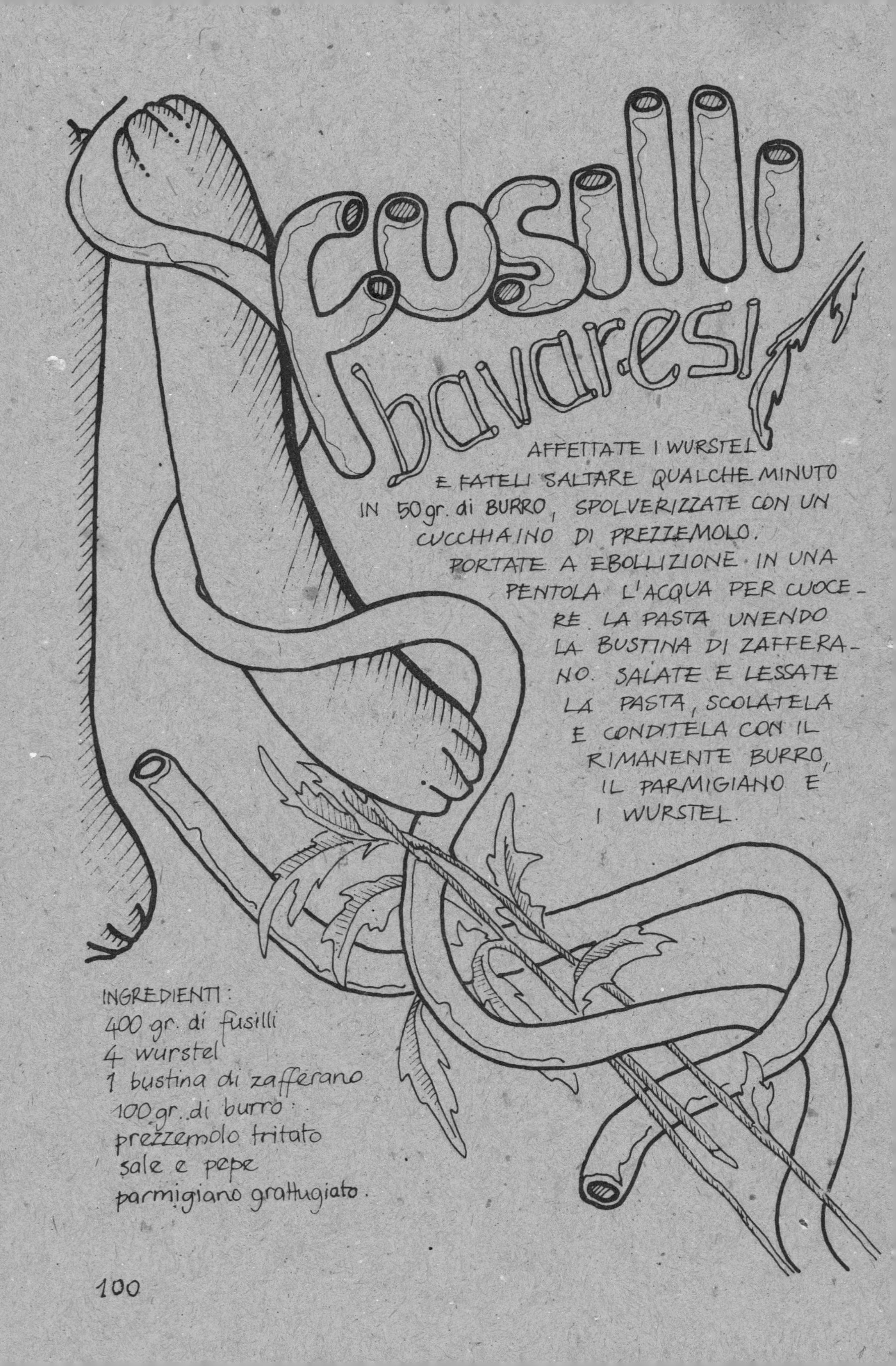

Fusilli bavaresi

AFFETTATE I WURSTEL E FATELI SALTARE QUALCHE MINUTO IN 50 gr. di BURRO, SPOLVERIZZATE CON UN CUCCHIAINO DI PREZZEMOLO.

PORTATE A EBOLLIZIONE IN UNA PENTOLA L'ACQUA PER CUOCERE LA PASTA UNENDO LA BUSTINA DI ZAFFERANO. SALATE E LESSATE LA PASTA, SCOLATELA E CONDITELA CON IL RIMANENTE BURRO, IL PARMIGIANO E I WURSTEL.

INGREDIENTI:
400 gr. di fusilli
4 wurstel
1 bustina di zafferano
100 gr. di burro
prezzemolo tritato
sale e pepe
parmigiano grattugiato.

FUSILLI AL RAGÙ D'AGNELLO

INGREDIENTI PER 4 PERSONE:
400 gr. di fusilli
200 gr. di polpa d'agnello
8 cucchiaiate d'olio d'oliva
2 spicchi d'aglio schiacciati
2 peperoni tagliati a listarelle; 2 pomodori maturi tagliuzzati, senza pelle nè semi; 2 foglie d'alloro
1/2 bicchiere di vino bianco secco; pecorino grattugiato, sale e pepe.

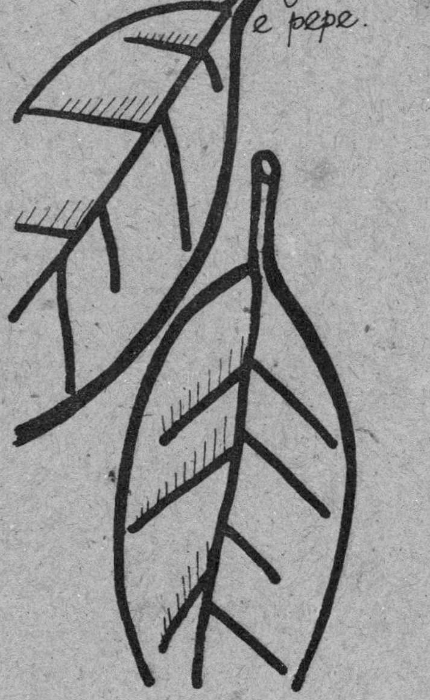

PIATTO TIPICAMENTE ABRUZZESE, DEVE IL SUO GUSTO SPECIALE E LA SUA NOTORIETÀ ALLA SAPORITA CARNE D'AGNELLO, CHE ANCHE QUI, COME IN ALTRE TERRE DI PASTORI A RIDOSSO DEGLI APPENNINI, È CONSIDERATA CON GRANDE PRIVILEGIO E CUCINATA IN SVARIATISSIME MANIERE: FRITTA, ARROSTO, IN UMIDO O IN RAGÙ.
TAGLIATE LA POLPA D'AGNELLO IN TANTI PICCOLI PEZZI CHE FARETE MARINARE IN UN PIATTO CON SALE E UNA MANCIATA ABBONDANTE DI PEPE PER UN'ORA. DOPO DI CHE FATE IMBIONDIRE IN UNA CASSERUOLA CON L'OLIO D'OLIVA LE FOGLIE D'ALLORO E GLI SPICCHI D'AGLIO, CHE POI TOGLIERETE. ROVESCIATEVI LA CARNE D'AGNELLO COSÌ MARINATA, MUOVENDOLA E FACENDOLA DORARE. BAGNATE IL TUTTO CON IL VINO BIANCO SECCO. VERSATE I POMODORI A PEZZI, I PEPERONI A LISTARELLE, INSAPORENDO CON UN PIZZICO DI SALE E DI PEPE. COPRITE LA CASSERUOLA E A FUOCO LENTO FATE CUOCERE IL SUGO PER UN'ORA O PIÙ. EVENTUALMENTE AGGIUNGETE BRODO CALDO (O ACQUA). LESSATE I FUSILLI IN ACQUA BOLLENTE SALATA. SCOLATELI AL DENTE, CONDITELI CON QUESTO RICCO SUGO E DISTRIBUITE L'IMMANCABILE SPOLVERATA DI PECORINO GRATTUGIATO, PRIMA DI SERVIRE.

INGREDIENTI
PER 4 PERSONE:
400 gr. di fusilli
150 gr. di lingua salmistrata a pezzetti
100 gr. di prosciutto crudo a listarelle
40 gr. di burro
1 cucchiaio di farina
1/2 bicchiere di panna liquida da cucina
1/2 litro di brodo caldo
parmigiano grattugiato
sale e pepe

IN UN TEGAME CON IL BURRO FUSO FATE RAPPRENDERE LA FARINA, MESCOLANDO SEMPRE CON UN CUCCHIAIO DI LEGNO. VERSATE POI IL BRODO CALDO, SALATE E PEPATE. DOPO UNA DECINA DI MINUTI VERSATE LA LINGUA SALMISTRATA E IL PROSCIUTTO CRUDO. NEL FRATTEMPO LESSATE I FUSILLI, NATURALMENTE AL DENTE; POCO PRIMA DI RITIRARE LA SALSA DAL FUOCO, UNITE AD ESSA LA PANNA, MESCOLANDO ANCORA.
CON IL SUGO CONDITE LA PASTA SCOLATA AL DENTE E DISTRIBUITE UN VELO DI PARMIGIANO GRATTUGIATO.

INGREDIENTI PER 4 PERSONE:
400 gr. di fusilli, 400 gr. pomodori freschi senza semi né pelle tritati; 250 gr. di mozzarella di bufala tagliata a pezzetti; 1/2 bicchiere di vino bianco secco; una manciatina di prezzemolo tritato; 2 spicchi d'aglio schiacciati; 8 cucchiaiate d'olio d'oliva; sale e pepe.

IN UN TEGAME CON L'OLIO D'OLIVA FATE ROSOLARE I DUE SPICCHI D'AGLIO SCHIACCIATI. APPENA SARANNO IMBIONDITI TOGLIETELI E VERSATE I POMODORI TRITATI, MESCOLANDO CON UN CUCCHIAIO DI LEGNO. DOPO POCHI MINUTI VERSATE IL VINO BIANCO E FATELO EVAPORARE. QUINDI UNITE IL PREZZEMOLO, SALE E PEPE E LASCIATE CUOCERE A FUOCO VIVACE, FINO A QUANDO LA SALSA SARA' ADDENSATA. NEL FRATTEMPO LESSATE I FUSILLI E SCOLATELI AL DENTE.
CONDITE LA PASTA CON LA SALSA DI POMODORO E LA MOZZARELLA TAGLIATA A DADINI.

Fusilli Vesuviani

Fusilli alla paprika

INGREDIENTI

PER 4 PERSONE: 400 gr. di fusilli; alcune foglie di basilico; un po' di paprika; 4 acciughe diliscate; 1 confezione di tonno tenero; 1 spicchio d'aglio; una punta di peperoncino rosso piccante; 1 ciuffo di prezzemolo; pecorino grattugiato; olio, sale, pepe.

DELLA RICCA TRADIZIONE CULINARIA CALABRESE, I FUSILLI SONO FORSE IL TIPO DI PASTA PIÙ DIFFUSO E PIÙ TIPICO. SAPER OTTENERE LA PASTA IN CASA È UN REQUISITO "ESSENZIALE", SECONDO IL COSTUME LOCALE, PER OGNI RAGAZZA DA MARITO CHE DEVE CONOSCERE ALMENO 15 MODI DI FARE LA PASTA (..."MACCARUNI", "SCILIATELLI", "CANNERONI"...) I FUSILLI SI PREPARANO CON IL COSIDDETTO "FIRRIETTU", SUL QUALE SI AVVOLGE LA PASTA.

PREPARATE UN TRITO, TAGLIANDO SUL TAGLIERE LE ACCIUGHE, L'AGLIO, IL BASILICO, IL PREZZEMOLO E IL TONNO. PONETE QUESTO TRITO A ROSOLARE DOLCEMENTE IN UNA CASSERUOLA CON QUALCHE CUCCHIAIATA D'OLIO. INSAPORITE IL TUTTO CON LA PAPRIKA, LA PUNTA DI PEPERONCINO PICCANTE, IL SALE E IL PEPE. SE IL CONDIMENTO RISULTERÀ TROPPO SPESSO, FATELO AMMORBIDIRE CON UN PO' D'ACQUA CALDA.

PRIMA DI CONDIRE LA PASTA, RICORDATEVI DI TOGLIERE IL PEPERONCINO. AVRETE GIÀ FATTO LESSARE I FUSILLI AL DENTE, ORA CONDITELI CON IL SUGO OTTENUTO ACCOMPAGNANDOLI AL PECORINO GRATTUGIATO.

PENNE ALLA MAGNI

INGREDIENTI: 400 gr di penne
300 gr. di mascarpone
40 gr. di funghi secchi
100 gr. di parmigiano grattugiato
cipolla, olio, sale, pepe

METTETE I FUNGHI IN ACQUA TIEPIDA AFFINCHÉ RINVENGANO.

AFFETTATE FINEMENTE UNA PICCOLA CIPOLLA E FATELA APPASSIRE IN DUE CUCCHIAI DI OLIO. SCOLATE I FUNGHI, TRITATELI GROSSOLANAMENTE E AGGIUNGETELI ALLA CIPOLLA. BAGNATE CON L'ACQUA DEI FUNGHI PRECEDENTEMENTE FILTRATA, SALATE, PEPATE E FATE CUOCERE LENTAMENTE PER CIRCA 20 MINUTI.
A PARTE, IN UNA ZUPPIERA, MESCOLATE IL MASCARPONE CON IL PARMIGIANO FINO AD OTTENERE UNA CREMA MORBIDA.
LESSATE LA PASTA AL DENTE, VERSATELA NELLA ZUPPIERA CON IL MASCARPONE, UNITE LA SALSA DI FUNGHI E SERVITE IMMEDIATAMENTE.

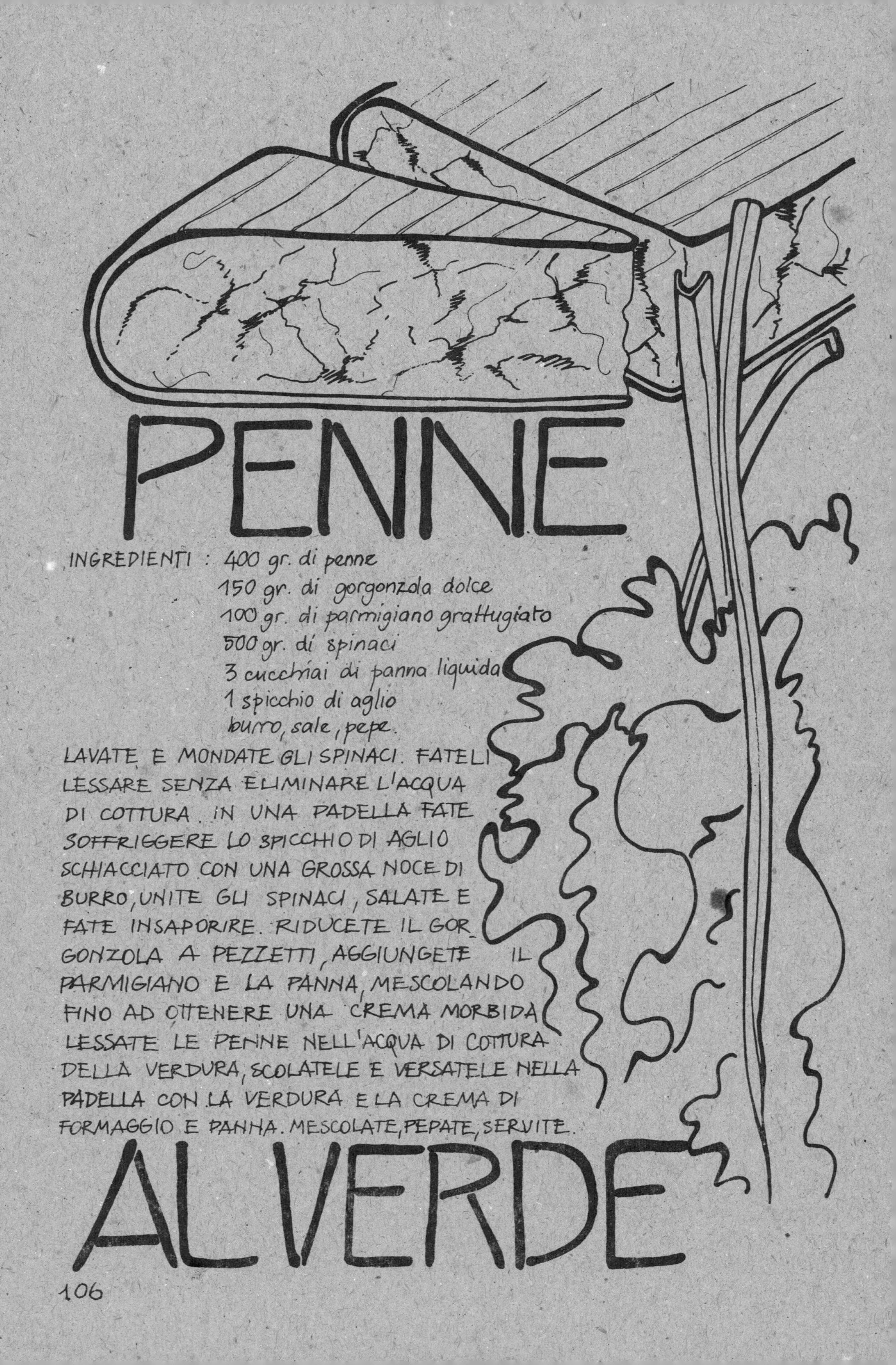

PENNE AL VERDE

INGREDIENTI : 400 gr. di penne
150 gr. di gorgonzola dolce
100 gr. di parmigiano grattugiato
500 gr. di spinaci
3 cucchiai di panna liquida
1 spicchio di aglio
burro, sale, pepe.

LAVATE E MONDATE GLI SPINACI. FATELI LESSARE SENZA ELIMINARE L'ACQUA DI COTTURA. IN UNA PADELLA FATE SOFFRIGGERE LO SPICCHIO DI AGLIO SCHIACCIATO CON UNA GROSSA NOCE DI BURRO, UNITE GLI SPINACI, SALATE E FATE INSAPORIRE. RIDUCETE IL GORGONZOLA A PEZZETTI, AGGIUNGETE IL PARMIGIANO E LA PANNA, MESCOLANDO FINO AD OTTENERE UNA CREMA MORBIDA. LESSATE LE PENNE NELL'ACQUA DI COTTURA DELLA VERDURA, SCOLATELE E VERSATELE NELLA PADELLA CON LA VERDURA E LA CREMA DI FORMAGGIO E PANNA. MESCOLATE, PEPATE, SERVITE.

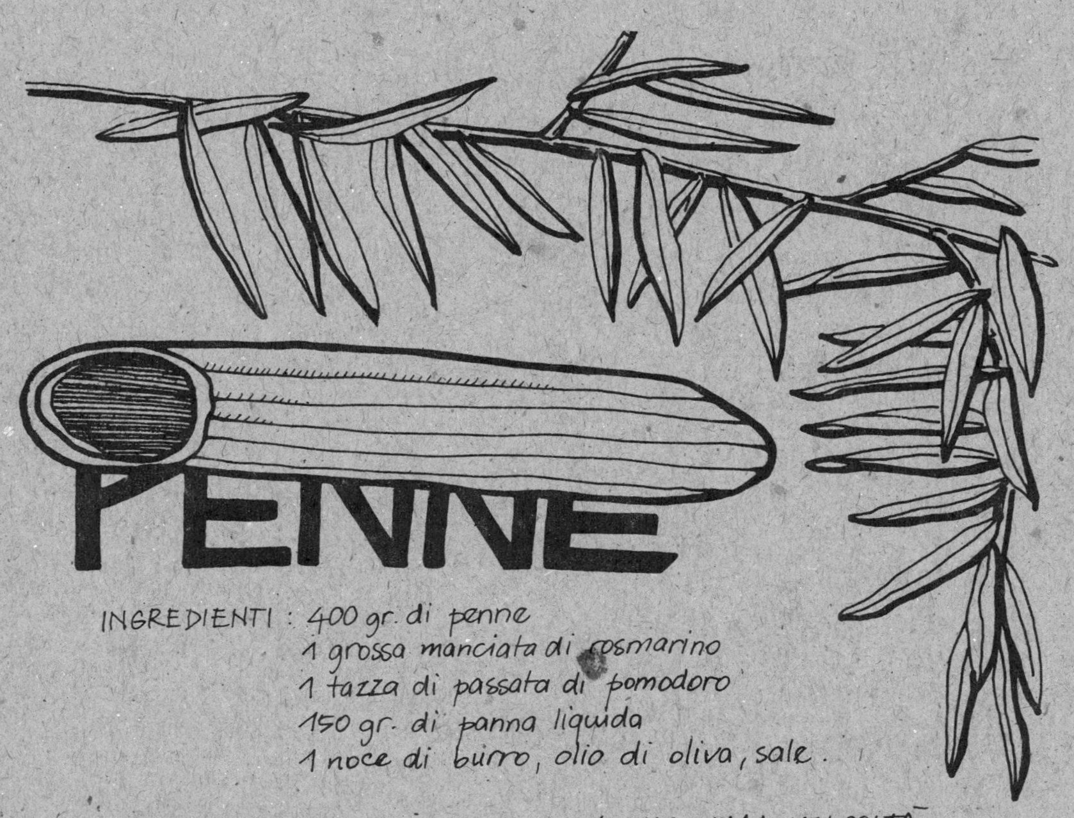

PENNE

INGREDIENTI : 400 gr. di penne
1 grossa manciata di rosmarino
1 tazza di passata di pomodoro
150 gr. di panna liquida
1 noce di burro, olio di oliva, sale.

FRULLATE IL ROSMARINO ALLA MASSIMA VELOCITÀ IN MODO DA RIDURLO IN POLVERE.
SCALDATE 4 CUCCHIAI DI OLIO, UNITE IL ROSMARINO E FATE SOFFRIGGERE DOLCEMENTE PER QUALCHE MINUTO. UNITE LA PASSATA DI POMODORO, SALATE E FATE CUOCERE PER UN QUARTO D'ORA, QUALCHE ISTANTE PRIMA DI TOGLIERE DAL FUOCO, VERSATE LA PANNA.
LESSATE LA PASTA, SCOLATELA, CONDITELA CON UNA NOCE DI BURRO E LA SALSA AL ROSMARINO.

AL ROSMARINO

PENNE in insalata

INGREDIENTI:
400 gr. di penne
100 gr. di olive nere
600 gr. di pomodori da sugo
olio di oliva
peperoncino
basilico
cipolla
aglio, sale
origano

LAVATE I POMODORI, TAGLIATELI A PEZZETTI, PRIVATELI DEI SEMI E FRULLATELI. IN UNA ZUPPIERA METTETE UNA PICCOLA CIPOLLA TRITATA, UNO SPICCHIO D'AGLIO AFFETTATO, UNA MANCIATA DI BASILICO TRITATO E IL PEPERONCINO ROSSO.
VERSATE I POMODORI FRULLATI, SALATE, UNITE IL PEPERONCINO SPEZZETTATO, UN PIZZICO DI ORIGANO E LE OLIVE NERE E 5-6 CUCCHIAI DI OLIO EXTRA VERGINE DI OLIVA.
LASCIATE RIPOSARE LA SALSA OTTENUTA AL FRESCO PER QUALCHE ORA.
LESSATE LA PASTA, SCOLATELA, PASSATELA SOTTO L'ACQUA FREDDA E CONDITELA CON LA SALSA.

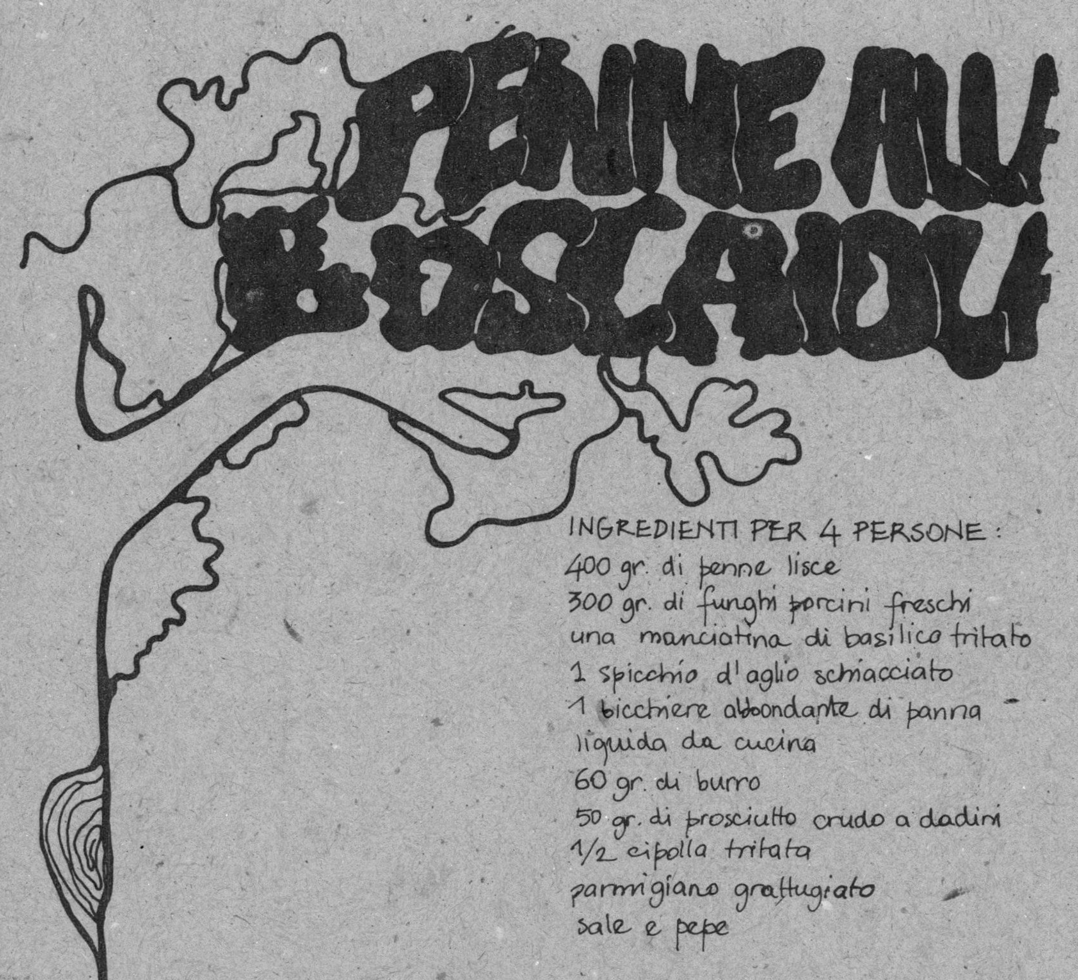

PENNE ALLA BOSCAIOLA

INGREDIENTI PER 4 PERSONE:

400 gr. di penne lisce
300 gr. di funghi porcini freschi
una manciatina di basilico tritato
1 spicchio d'aglio schiacciato
1 bicchiere abbondante di panna liquida da cucina
60 gr. di burro
50 gr. di prosciutto crudo a dadini
1/2 cipolla tritata
parmigiano grattugiato
sale e pepe

PULITE I FUNGHI E TAGLIATELI A FETTINE PIUTTOSTO SOTTILI. IN UN TEGAME CON IL BURRO FATE COLORIRE LO SPICCHIO D'AGLIO (CHE POI TOGLIERETE) E LA CIPOLLA TRITATA. APPENA AVRÀ PRESO COLORE UNITE AD ESSA I FUNGHI PORCINI, INSAPORENDO CON SALE E PEPE.
DOPO CIRCA 15 MINUTI DI COTTURA A FUOCO VIVACE, AGGIUNGETE IL PROSCIUTTO CRUDO E IL TRITO DI BASILICO. MESCOLATE ED IRRORATE IL TUTTO CON LA PANNA LIQUIDA. DATE L'ULTIMA FIAMMATA E RITIRATE IL SUGO. CON ESSO CONDITE LE PENNE LESSATE IN ACQUA SALATA BOLLENTE E SCOLATE AL DENTE. SPOLVERIZZATE CON PARMIGIANO GRATTUGIATO E PORTATE IN TAVOLA

PENNE AL CAVOLFIORE

INGREDIENTI PER 6 PERSONE:
550 gr. di penne
1 piccolo cavolfiore
1/2 bicchiere d'olio d'oliva
1 spicchio d'aglio schiacciato
600 gr. di pomodori freschi passati al setaccio
una manciata di prezzemolo tritato
sale e pepe; abbondante parmigiano grattugiato.

DAPPRIMA PULITE IL CAVOLFIORE, RIDUCETELO IN PICCOLE PARTI CHE FARETE PASSARE SOTTO L'ACQUA CORRENTE E POI ASCIUGHERETE. IN UN GROSSO TEGAME FATE IMBIONDIRE DOLCEMENTE L'AGLIO NELL'OLIO. QUANDO AVRÀ PRESO COLORE TOGLIETELO E VERSATE IL PASSATO DI POMODORO E IL CAVOLFIORE. AGGIUNGETE UN MESTOLO D'ACQUA BOLLENTE ED INSAPORITE IL TUTTO CON SALE E PEPE.
COPRITE E LASCIATE CUOCERE PER PIÙ DI MEZZ'ORA. POTRETE RITIRARE IL SUGO DAL FUOCO QUANDO LE CIME DI CAVOLFIORE SARANNO COTTE ED INIZIERANNO A DISFARSI.
AVRETE INTANTO PORTATO AD EBOLLIZIONE UNA PENTOLA D'ACQUA SALATA IN CUI AVRETE FATTO LESSARE LE PENNE. SCOLATE AL DENTE, CONDITELE CON IL SUGHETTO AI CAVOLFIORI, A CUI AVRETE AGGIUNTO ALL'ULTIMO MOMENTO IL PREZZEMOLO TRITATO.
SERVITE DISTRIBUENDO PARMIGIANO GRATTUGIATO.

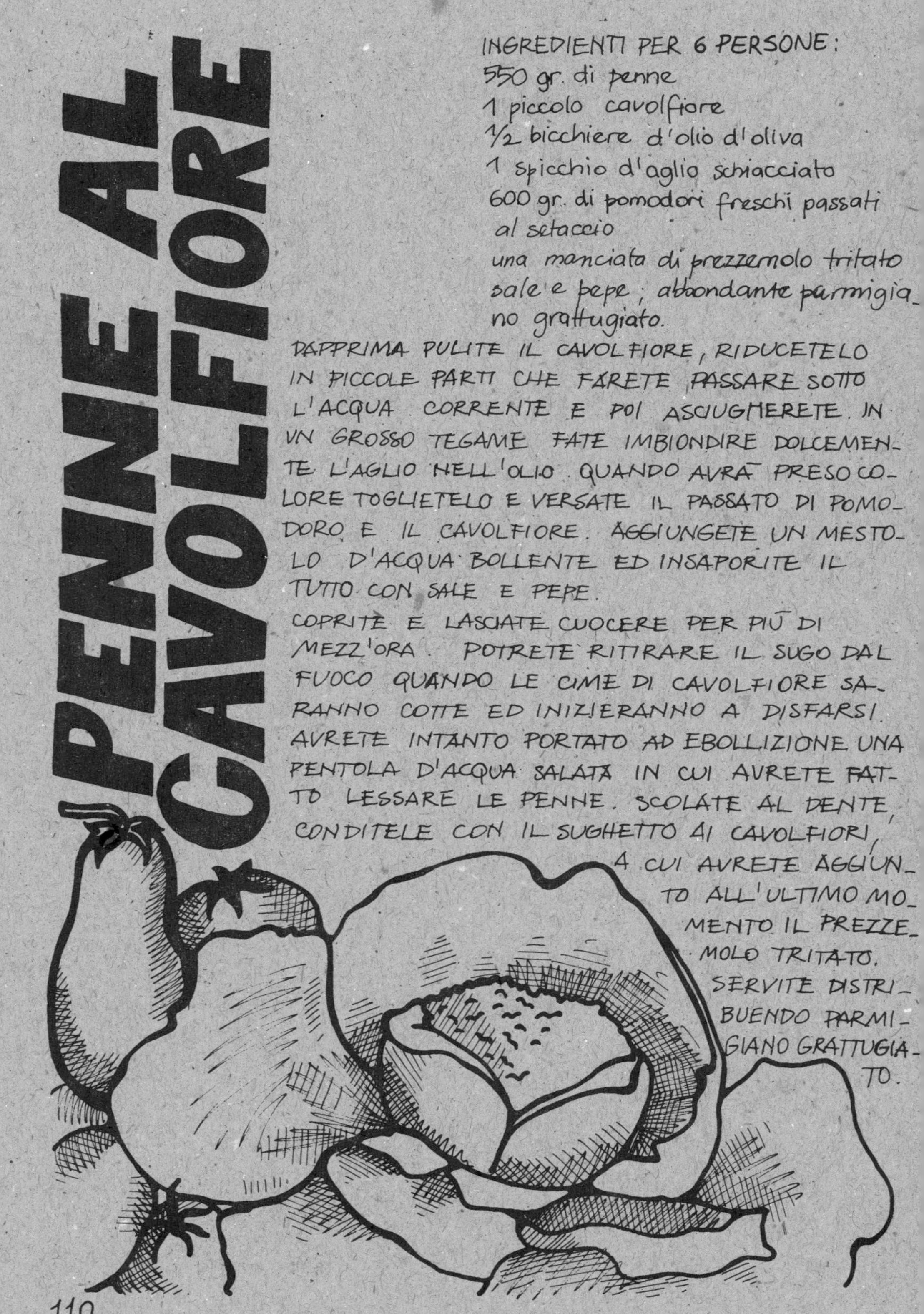

Penne al cognac

INGREDIENTI PER 4 PERSONE:

400 gr. di penne rigate
500 gr. di pomodori maturi spellati e senza semi.
1 spicchio d'aglio
1 cipolletta tritata fine
1 manciatina di basilico tritato
1/2 bicchiere di cognac
sale e pepe
1/2 bicchiere di olio d'oliva
parmigiano grattugiato

PASSATE AL SETACCIO I POMODORI. IN UNA CASSERUOLA CON L'OLIO D'OLIVA FATE IMBIONDIRE LO SPICCHIO D'AGLIO, CHE POI TOGLIERETE. UNITE LA CIPOLLA TRITATA E BAGNATE CON IL COGNAC. VERSATE SUBITO I POMODORI, MESCOLANDO BENE. SALATE, PEPATE ED AGGIUNGETE IL TRITO DI BASILICO FACENDO CUOCERE A FUOCO LENTO PER 1/2 ORA. FATE CUOCERE LE PENNE IN ABBONDANTE ACQUA SALATA E SCOLATELE AL DENTE. VERSATELE IN UNA ZUPPIERA E CONDITELE CON IL SUGO DI POMODORO AL COGNAC. SPARGETE UNA BUONA DOSE DI PARMIGIANO GRATTUGIATO E PORTATE IN TAVOLA.

PENNE PICCANTI

INGREDIENTI:

400 gr. di penne rigate
150 gr. di passata di pomodoro
200 gr. di panna
1 peperoncino piccante
burro
olio
sale

SCALDATE DUE CUCCHIAI DI OLIO D'OLIVA E UNITE IL PEPERONCINO SPEZZETTATO FACENDOLO ROSOLARE, VERSATE IL PASSATO DI POMODORO, SALATE E FATE CUOCERE CIRCA 10 MIN.
CUOCETE LE PENNE AL DENTE E CONDITELE CON LA PANNA PRECEDENTEMENTE RISCALDATA ALLA QUALE AVRETE AGGIUNTO UNA NOCE DI BURRO.
VERSATE LA PASTA NELLA SALSA DI POMODORO, RIGIRATE VELOCEMENTE E SERVITE.

penne al salame

INGREDIENTI PER 4 PERSONE:

400 gr. di penne
200 gr. di salame tagliato a listine piuttosto spesse
2 uova
70 gr. di parmigiano grattugiato
40 gr. di burro.
2 cucchiai di olio
1/2 bicchiere di vino bianco secco.
1 rametto di rosmarino
qualche foglia di salvia
sale e pepe.

MENTRE CUOCETE LE PENNE IN ACQUA SALATA, PREPARATE LA SALSA PER CONDIRLE. IN UN PICCOLO TEGAME CON IL BURRO, L'OLIO, IL RAMETTO DI ROSMARINO E LE FOGLIE DI SALVIA, FATE PRENDERE COLORE AL SALAME TAGLIATO A LISTARELLE. UNA VOLTA CHE IL SOFFRITTO SARÀ BEN ROSOLATO, SPRUZZATE IL TUTTO CON IL VINO BIANCO SECCO. FATELO EVAPORARE E SPEGNETE IL FUOCO. IN UNA TERRINA SBATTETE LE UOVA CON UN PO' DI PARMIGIANO GRATTUGGIATO E UN PIZZICO DI SALE E PEPE.
SCOLATE QUINDI LA PASTA AL DENTE E DOPO AVERLA VERSATA NELLA TERRINA CONTENENTE LE UOVA SBATTUTE, MESCOLATE VIGOROSAMENTE. UNITE ANCHE IL SALAME CON IL SUGO DI COTTURA, AL QUALE AVRETE TOLTO LE FOGLIE DI SALVIA E IL ROSMARINO.
SERVITE SUBITO DISTRIBUENDO ABBONDANTE PARMIGIANO GRATTUGIATO.

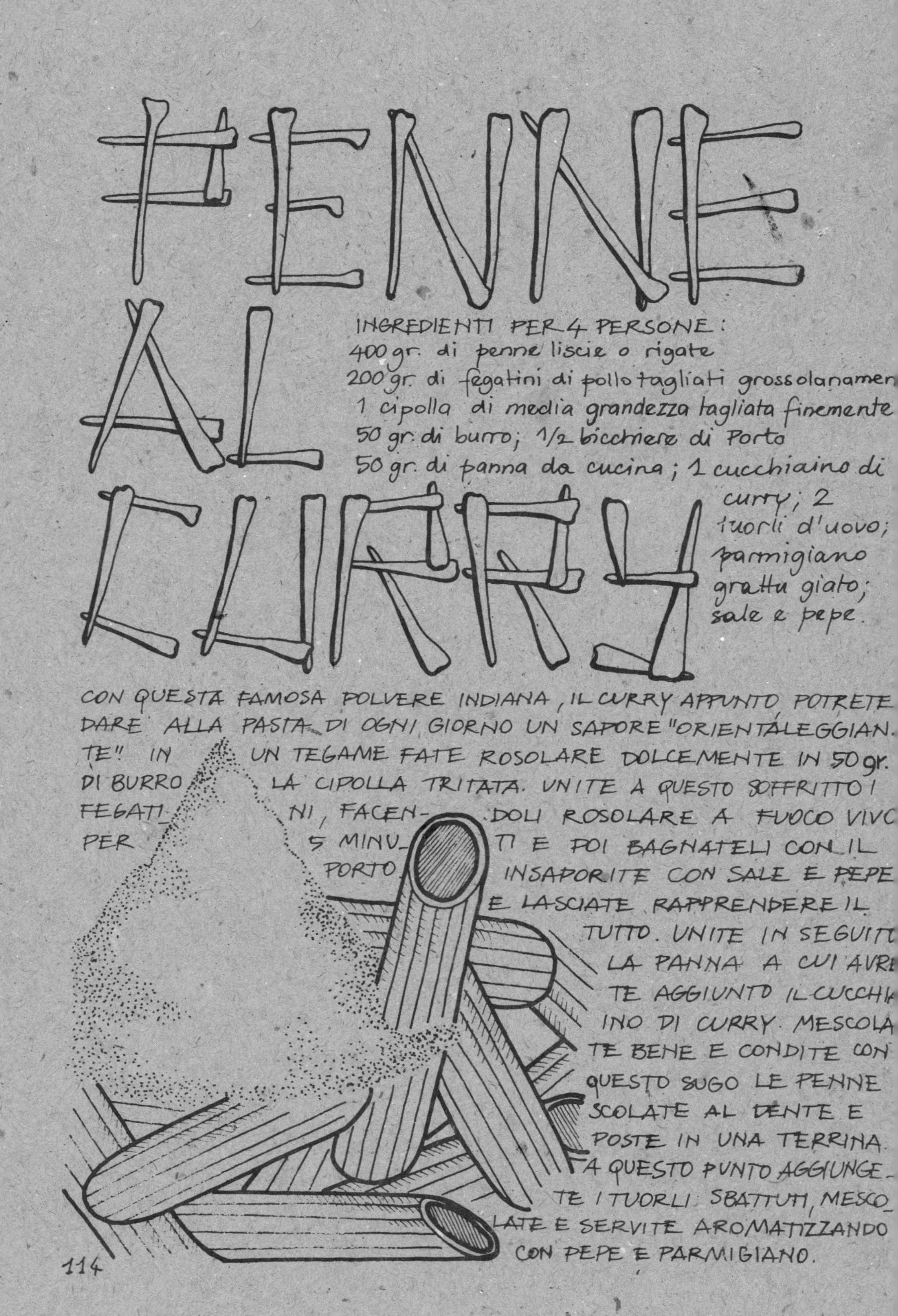

PENNE AL CURRY

INGREDIENTI PER 4 PERSONE:
400 gr. di penne liscie o rigate
200 gr. di fegatini di pollo tagliati grossolanamen
1 cipolla di media grandezza tagliata finemente
50 gr. di burro; 1/2 bicchiere di Porto
50 gr. di panna da cucina; 1 cucchiaino di curry; 2 tuorli d'uovo; parmigiano grattugiato; sale e pepe.

CON QUESTA FAMOSA POLVERE INDIANA, IL CURRY APPUNTO, POTRETE DARE ALLA PASTA DI OGNI GIORNO UN SAPORE "ORIENTALEGGIANTE". IN UN TEGAME FATE ROSOLARE DOLCEMENTE IN 50 gr. DI BURRO LA CIPOLLA TRITATA. UNITE A QUESTO SOFFRITTO I FEGATINI, FACENDOLI ROSOLARE A FUOCO VIVO PER 5 MINUTI E POI BAGNATELI CON IL PORTO. INSAPORITE CON SALE E PEPE E LASCIATE RAPPRENDERE IL TUTTO. UNITE IN SEGUIT LA PANNA A CUI AVR TE AGGIUNTO IL CUCCHIA INO DI CURRY. MESCOLATE BENE E CONDITE CON QUESTO SUGO LE PENNE SCOLATE AL DENTE E POSTE IN UNA TERRINA. A QUESTO PUNTO AGGIUNGETE I TUORLI SBATTUTI, MESCOLATE E SERVITE AROMATIZZANDO CON PEPE E PARMIGIANO.

PENNE ALLA SALSA DI OLIVE

INGREDIENTI:
400 gr. di penne;
120 gr. di olive nere snocciolate
150 gr. di ricotta fresca
50 gr. di burro, foglie di basilico, pepe, sale

PONETE AL FUOCO UNA PENTOLA CON ACQUA SALATA E CUOCETE LE PENNE AL DENTE. NEL FRATTEMPO PREPARATE LA SALSA DI CONDIMENTO. TRITATE LE OLIVE CON QUALCHE FOGLIOLINA DI BASILICO, UNITE LA RICOTTA E MESCOLATE FINO AD OTTENERE UNA CREMA OMOGENEA. SCOLATE LA PASTA, CONDITELA CON IL BURRO, LA SALSA DI OLIVE E SERVITE IMMEDIATAMENTE.

PENNE allo ZAFFERANO

INGREDIENTI: 400 gr. di penne
1 bustina di zafferano
1 bicchiere di panna liquida
2 tuorli d'uovo, parmigiano
pepe, sale.

SCIOGLIETE LA BUSTINA DI ZAFFERANO IN POCHISSIMA ACQUA TIEPIDA, VERSATE LA PANNA E I TUORLI D'UOVO SBATTUTI. REGOLATE DI SALE E PEPE E AGGIUNGETE ABBONDANTE PARMIGIANO GRATTUGIATO.
LESSATE LA PASTA AL DENTE E CONDITELA CON LA SALSA ALLO ZAFFERANO.

MEZZE PENNE ALLA ZUCCA

INGREDIENTI:

400 gr. di mezze penne
350 gr. di zucca
200 gr. di panna liquida
una cipollina
una patata
burro
salvia
sale
pepe

ELIMINATE I SEMI DALLA ZUCCA, SBUCCIATELA E LESSATELA IN ACQUA BOLLENTE SALATA INSIEME ALLA PATATA. SOFFRIGGETE LA CIPOLLA CON UNA NOCE DI BURRO E DUE FOGLIE DI SALVIA, VERSATE LA ZUCCA E LA PATATA LESSATE E TAGLIATE A PEZZI, SALATE, PEPATE E FATE CUOCERE FINO A QUANDO LE VERDURE SI SARANNO DISFATTE.

ELIMINATE LE FOGLIE DI SALVIA, FRULLATE LE VERDURE E UNITE LA PANNA.

CON QUESTA SALSA CONDITE LE MEZZE PENNE COTTE AL DENTE.

MEZZE MANICHE

INGREDIENTI: 400 gr. di mezze maniche; 400 gr. di piselli freschi (già sgranati); 100 gr. di prosciutto cotto tagliato a listarelle; 50 gr. di emmenthal; 50 gr di burro; 1 piccola cipolla, brodo, olio, pepe, sale, parmigiano.

TRITATE LA CIPOLLA E FATELA SOFFRIGGERE IN UNA CASSERUOLA CON DUE CUCCHIAI DI OLIO E UNA NOCE DI BURRO. UNITE I PISELLI E PORTATE A COTTURA VERSANDO QUALCHE CUCCHIAIO DI BRODO, SALATE E PEPATE. A PARTE FATE ROSOLARE NEL RIMANENTE BURRO IL PROSCIUTTO COTTO TAGLIATO A LISTARELLE.

CUOCETE LA PASTA AL DENTE, VERSATELA NELLA CASSERUOLA CON I PISELLI, FATE INSAPORIRE E UNITE IL PROSCIUTTO COTTO, L'EMMENTHAL TAGLIATO A DADINI, IL PARMIGIANO GRATTUGIATO, MESCOLATE BENE E SERVITE.

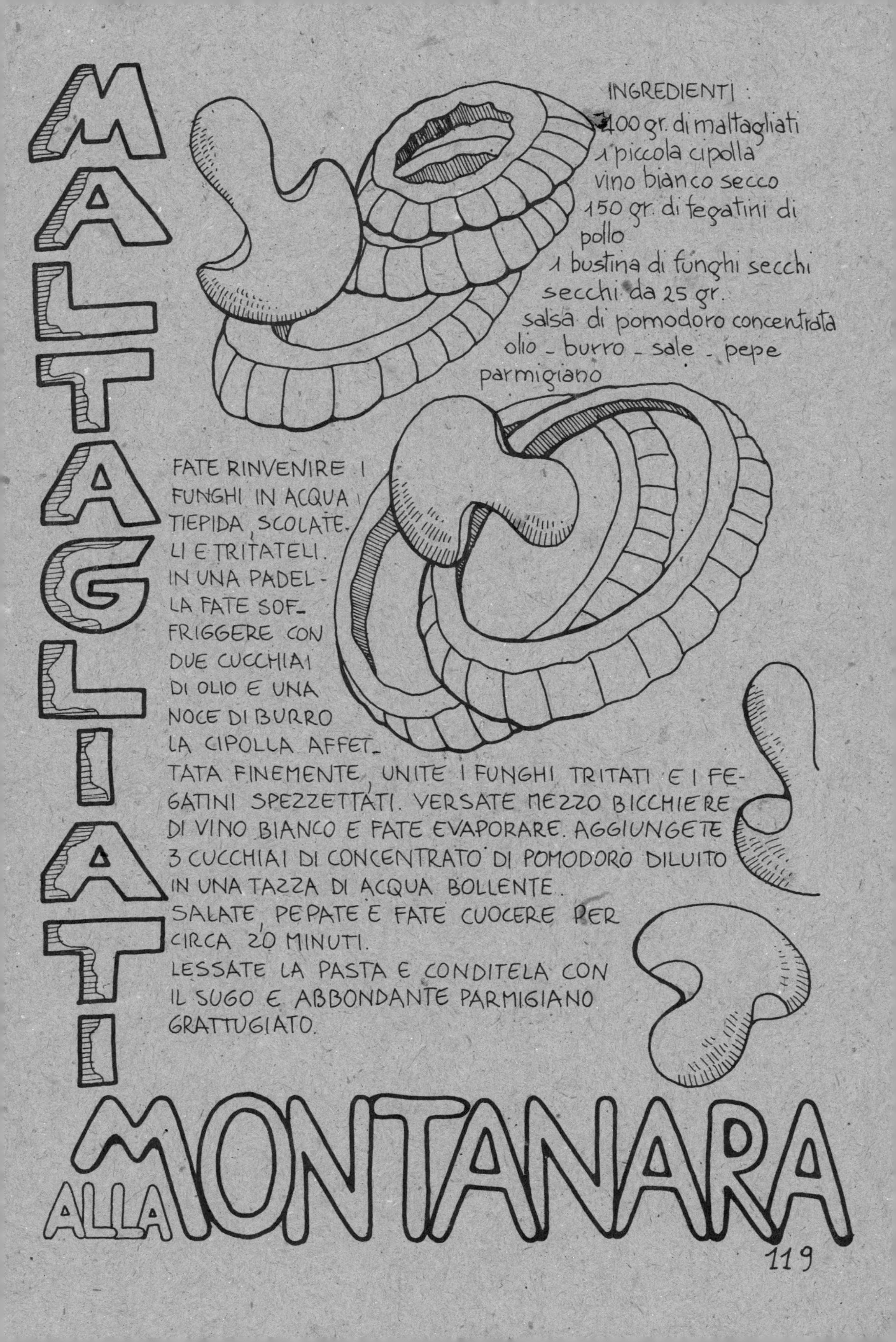

MALTAGLIATI ALLA MONTANARA

INGREDIENTI:

- 400 gr. di maltagliati
- 1 piccola cipolla
- vino bianco secco
- 150 gr. di fegatini di pollo
- 1 bustina di funghi secchi secchi da 25 gr.
- salsa di pomodoro concentrata
- olio - burro - sale - pepe
- parmigiano

FATE RINVENIRE I FUNGHI IN ACQUA TIEPIDA, SCOLATELI E TRITATELI. IN UNA PADELLA FATE SOFFRIGGERE CON DUE CUCCHIAI DI OLIO E UNA NOCE DI BURRO LA CIPOLLA AFFETTATA FINEMENTE, UNITE I FUNGHI TRITATI E I FEGATINI SPEZZETTATI. VERSATE MEZZO BICCHIERE DI VINO BIANCO E FATE EVAPORARE. AGGIUNGETE 3 CUCCHIAI DI CONCENTRATO DI POMODORO DILUITO IN UNA TAZZA DI ACQUA BOLLENTE. SALATE, PEPATE E FATE CUOCERE PER CIRCA 20 MINUTI.
LESSATE LA PASTA E CONDITELA CON IL SUGO E ABBONDANTE PARMIGIANO GRATTUGIATO.

MALTAGLIATI al mascarpone

INGREDIENTI PER 4 PERSONE:
- 400 gr. di maltagliati
- 120 gr. di burro
- 200 gr. di mascarpone freschissimo
- grana grattugiato
- 100 gr. di piselli sgranati sbollentati in acqua salata
- un rametto di rosmarino
- qualche foglia di salvia
- sale e pepe
- una piccola presa di noce moscata grattugiata

QUESTO ERA UN TEMPO IL PIATTO PIU' APPREZZATO NELLA ALTA GASTRONOMIA LOMBARDA, SULLE TAVOLE RICERCATE DELLA MILANO BENE.
PUNTO FORTE DELLA RICETTA E' IL MASCARPONE, CHE DEVE ESSERE FRESCHISSIMO.
IN UNA CASSERUOLA CON 30 gr. DI BURRO, FATE DORARE I PISELLI, GIA' SBOLLENTATI, CON LA SALVIA, IL ROSMARINO, LA NOCE MOSCATA E UN PIZZICO DI SALE E PEPE.
A PARTE LAVORATE IL RESTANTE BURRO FINO A FARLO DIVENTARE SPUMOSO E UNITEVI IL MASCARPONE, MESCOLANDO ANCORA CON UN CUCCHIAIO DI LEGNO.
FATE LESSARE NEL FRATTEMPO I MALTAGLIATI E APPENA COTTI AL DENTE, SCOLATELI E VERSATELI IN UNA TERRINA.
CONDITELI CON LA SPUMA DI BURRO E MASCARPONE E IL CONDIMENTO DI PISELLI (A CUI AVRETE TOLTO LE ERBE AROMATICHE).
SERVITE SPOLVERIZZANDO CON GRANA GRATTUGIATO.

CONCHIGLIE con le zucchine

INGREDIENTI PER 4 PERSONE:
400 gr. di pasta a conchigliette, una manciata di basilico e prezzemolo tritati insieme; 2 spicchi d'aglio pestati; 7 cucchiaiate d'olio d'oliva; 350 gr. di zucchine lavate e affettate sale e pepe; parmigiano grattugiato.

LAVATE E ASCIUGATE LE ZUCCHINE E TAGLIATELE A TOCCHETTI. METTETE A ROSOLARE IN UNA PADELLA CON L'OLIO D'OLIVA GLI SPICCHI D'AGLIO PESTATI, CHE POI TOGLIERETE, E LE ZUCCHINE. APPENA INIZIERANNO A PRENDERE COLORE, INSAPORITELE CON UN PIZZICO DI SALE, UNO DI PEPE E IL TRITO DI BASILICO E PREZZEMOLO. MUOVETELE CON UN CUCCHIAIO DI LEGNO, USATE IL FUOCO BASSO AFFINCHE' NON SI SPAPPOLINO TROPPO.
LESSATE NEL FRATTEMPO LE CONCHIGLIE IN ACQUA SALATA.
MESCOLATE, IN UNA ZUPPIERA, LA PASTA CON LE ZUCCHINE E IL LORO CONDIMENTO. SE IL COMPOSTO RISULTASSE TROPPO ASCIUTTO AGGIUNGETE UN GOCCIO D'OLIO D'OLIVA CRUDO.
SPOLVERIZZATE IL TUTTO CON UNA BUONA MANCIATA DI PARMIGIANO E PORTATE IN TAVOLA.

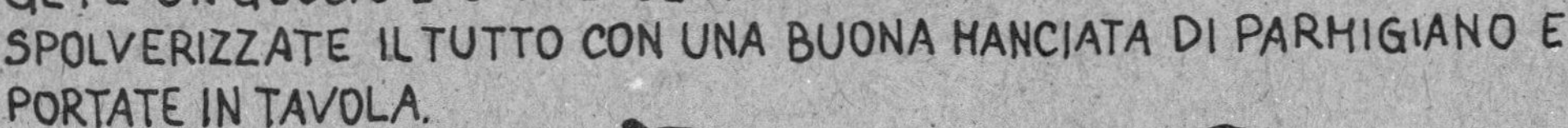

conchiglie all'anconetana

PULITE LE SARDINE TOGLIENDO LORO LA LISCA, LE INTERIORA, LA CODA E LA TESTA E LAVANDOLE SOTTO L'ACQUA CORRENTE. IN UNA CASSERUOLA, CON L'OLIO D'OLIVA, FATE PRENDERE COLORE ALL'AGLIO TRITATO. UNITE LE SARDINE CERCANDO DI SBRICIOLARLE CON UN CUCCHIAIO DI LEGNO. SPRUZZATELE CON IL VINO BIANCO SECCO E FATELO EVAPORARE. QUINDI UNITE IL TRITO DI PREZZEMOLO E BASILICO E ANCORA UN PIZZICO DI SALE E DI PEPE. FATE CUOCERE PER UN QUARTO D'ORA A FUOCO MODERATO. NEL FRATTEMPO LESSATE IN ACQUA BOLLENTE E SALATA LE CONCHIGLIE, CHE SCOLERETE AL DENTE. MESCOLATE LA PASTA E IL SUGO DI SARDINE IN UNA ZUPPIERA E SERVITE.

INGREDIENTI PER 4 PERSONE:
400 gr. di conchiglie rigate
300 gr. di sardine fresche
1/2 bicchiere di vino bianco secco
6 cucchiai d'olio d'oliva
qualche foglia di basilico tritata
un rametto di prezzemolo tritato
1/2 spicchio d'aglio tritato
sale e pepe.

CONCHIGLIE ALLE MELANZANE

INGREDIENTI PER 6 PERSONE:
600 gr. di conchiglie
6 melanzane; sale e pepe
olio di semi per friggere
1/2 bicchiere d'olio d'oliva
700 gr. di pomodori pelati schiacciati
2 spicchi d'aglio pestati
una manciatina di basilico tritato
80 gr. di formaggio pecorino grattugiato.

PER PRIMA COSA LAVATE LE MELANZANE SCELTE DI MEDIA GRANDEZZA, TAGLIATELE A FETTE PIUTTOSTO SOTTILI E LASCIATELE "MARINARE" PER UN'ORA IN UN PIATTO, COSPARSE DI SALE, IN MODO CHE PERDANO LA LORO ACQUA AMAROGNOLA. DOPO DI CHE, ASCIUGATELE CON UN PANNO E FATELE FRIGGERE IN OLIO BOLLENTE. PONETELE POI SU UNA CARTA ASSORBENTE PER ELIMINARE L'UNTO. ORA METTETE IN UNA PICCOLA CASSERUOLA, CON L'OLIO D'OLIVA, I DUE SPICCHI D'AGLIO CHE TOGLIERETE APPENA INIZIERANNO A IMBIONDIRE. UNITE DI SEGUITO I POMODORI E LASCIATE CUOCERE PER UNA TRENTINA DI MINUTI; PRIMA DI RITIRARE IL SUGHETTO DAL FUOCO CONDITELO CON UN PIZZICO DI SALE E DI PEPE E SPOLVERIZZATE IL TUTTO CON BASILICO TRITATO. AVRETE INTANTO FATTO LESSARE LE CONCHIGLIE AL DENTE; SCOLATELE, PONETELE IN UNA TERRINA E CONDITELE CON LE FETTE DI MELANZANE FRITTE, IL SUGO DI POMODORI E IL PECORINO GRATTUGIATO. SERVITE IMMEDIATAMENTE.

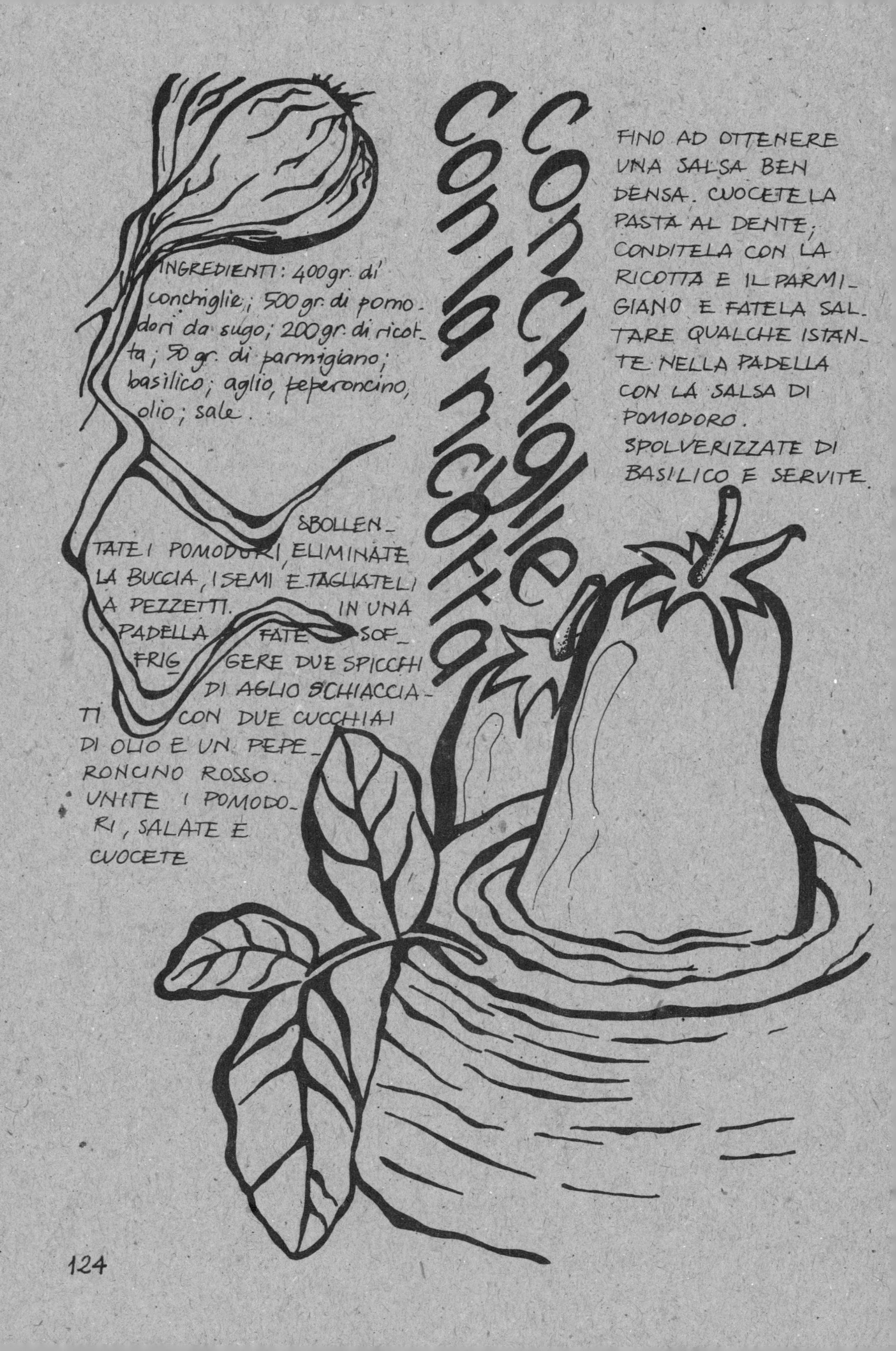

Conchiglie con la ricotta

INGREDIENTI: 400 gr. di conchiglie; 500 gr. di pomodori da sugo; 200 gr. di ricotta; 50 gr. di parmigiano; basilico; aglio, peperoncino, olio; sale.

SBOLLENTATE I POMODORI, ELIMINATE LA BUCCIA, I SEMI E TAGLIATELI A PEZZETTI. IN UNA PADELLA FATE SOFFRIGGERE DUE SPICCHI DI AGLIO SCHIACCIATI CON DUE CUCCHIAI DI OLIO E UN PEPERONCINO ROSSO. UNITE I POMODORI, SALATE E CUOCETE FINO AD OTTENERE UNA SALSA BEN DENSA. CUOCETE LA PASTA AL DENTE; CONDITELA CON LA RICOTTA E IL PARMIGIANO E FATELA SALTARE QUALCHE ISTANTE NELLA PADELLA CON LA SALSA DI POMODORO.

SPOLVERIZZATE DI BASILICO E SERVITE.

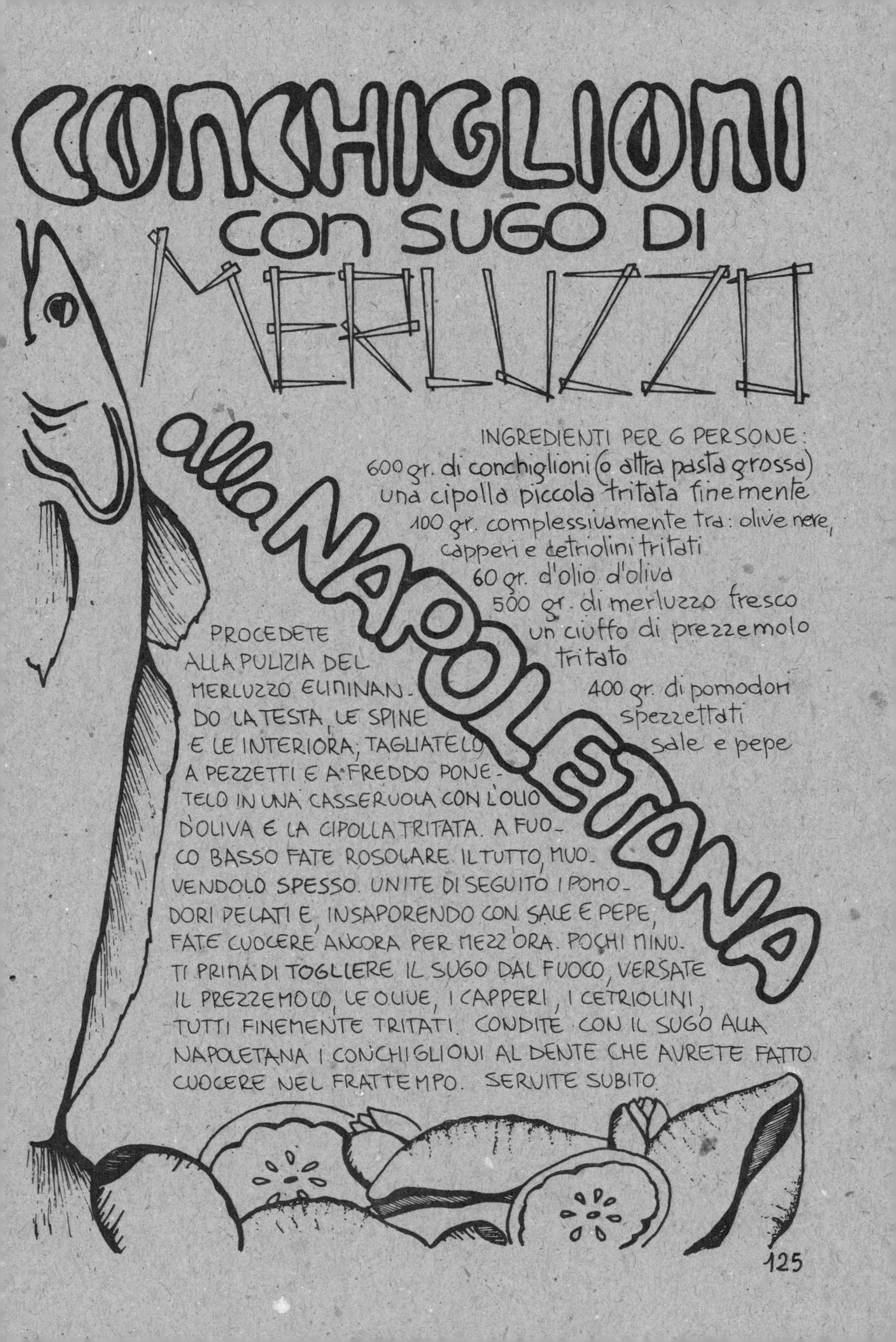

CONCHIGLIONI CON SUGO DI MERLUZZO alla NAPOLETANA

INGREDIENTI PER 6 PERSONE:

600 gr. di conchiglioni (o altra pasta grossa)
una cipolla piccola tritata finemente
100 gr. complessivamente tra: olive nere, capperi e cetriolini tritati
60 gr. d'olio d'oliva
500 gr. di merluzzo fresco
un ciuffo di prezzemolo tritato
400 gr. di pomodori spezzettati
sale e pepe

PROCEDETE ALLA PULIZIA DEL MERLUZZO ELIMINANDO LA TESTA, LE SPINE E LE INTERIORA; TAGLIATELO A PEZZETTI E A FREDDO PONETELO IN UNA CASSERUOLA CON L'OLIO D'OLIVA E LA CIPOLLA TRITATA. A FUOCO BASSO FATE ROSOLARE IL TUTTO, MUOVENDOLO SPESSO. UNITE DI SEGUITO I POMODORI PELATI E, INSAPORENDO CON SALE E PEPE, FATE CUOCERE ANCORA PER MEZZ'ORA. POCHI MINUTI PRIMA DI TOGLIERE IL SUGO DAL FUOCO, VERSATE IL PREZZEMOLO, LE OLIVE, I CAPPERI, I CETRIOLINI, TUTTI FINEMENTE TRITATI. CONDITE CON IL SUGO ALLA NAPOLETANA I CONCHIGLIONI AL DENTE CHE AVRETE FATTO CUOCERE NEL FRATTEMPO. SERVITE SUBITO.

INGREDIENTI PER 4 PERSONE:
400 gr. di pasta a conchiglioni;
2 filetti di pollo piuttosto grossi;
1 tuorlo d'uovo;
farina; 100 gr. di burro; 1/4 di latte;
2 foglie di salvia e 1 rametto di rosmarino;
sale e pepe bianco;
1/2 bicchiere scarso di vino bianco secco;
1/2 bicchiere di panna liquida da cucina; parmigiano reggiano grattugiato.

ECCO UN MODO MOLTO SOFISTICATO PER UNIRE IN UNA RICETTA GUSTOSA PRIMO E SECONDO: PASTASCIUTTA E POLLO.

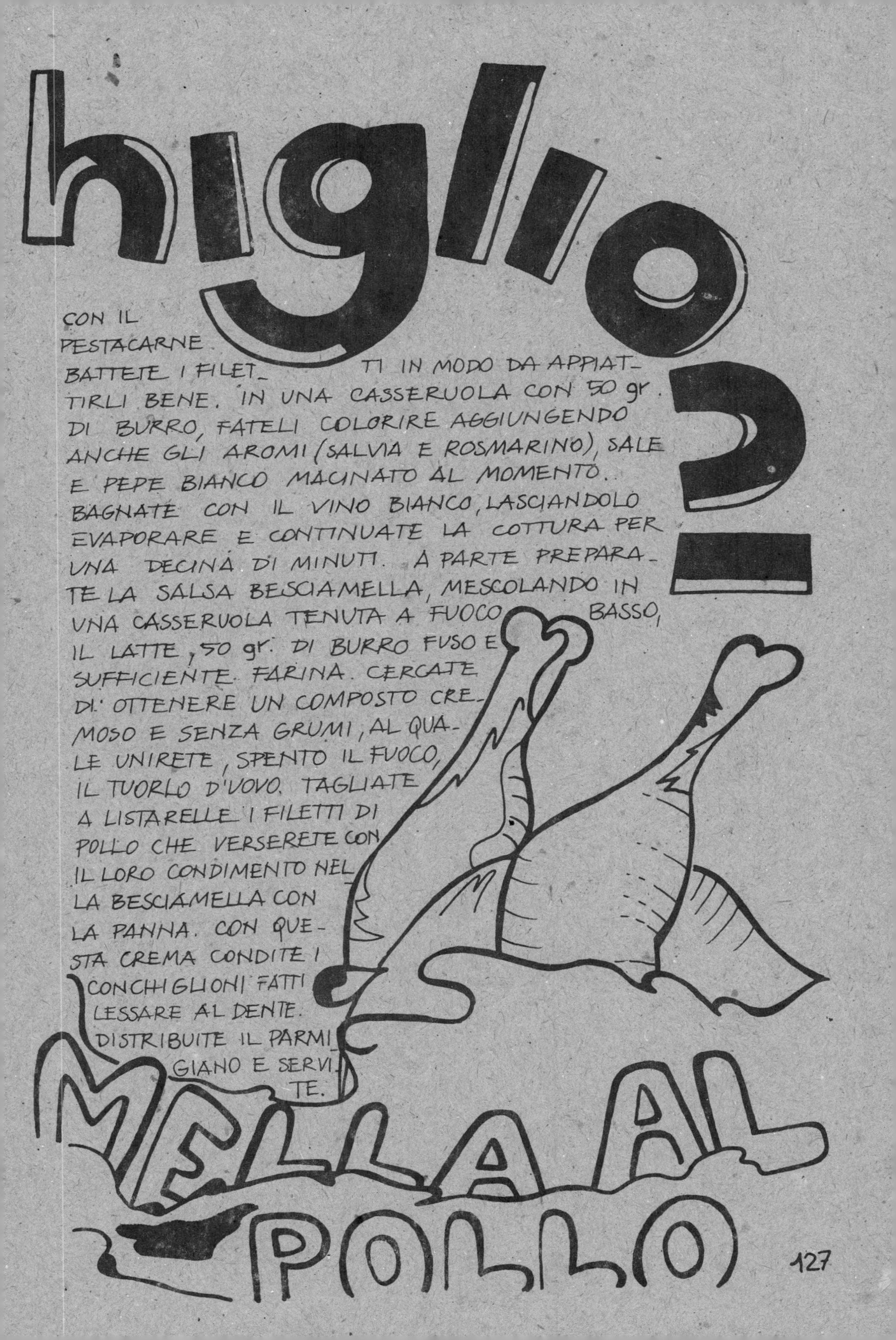

CON IL PESTACARNE BATTETE I FILETTI IN MODO DA APPIATTIRLI BENE. IN UNA CASSERUOLA CON 50 gr. DI BURRO, FATELI COLORIRE AGGIUNGENDO ANCHE GLI AROMI (SALVIA E ROSMARINO), SALE E PEPE BIANCO MACINATO AL MOMENTO. BAGNATE CON IL VINO BIANCO, LASCIANDOLO EVAPORARE E CONTINUATE LA COTTURA PER UNA DECINA DI MINUTI. A PARTE PREPARATE LA SALSA BESCIAMELLA, MESCOLANDO IN UNA CASSERUOLA TENUTA A FUOCO BASSO, IL LATTE, 50 gr. DI BURRO FUSO E SUFFICIENTE FARINA. CERCATE DI OTTENERE UN COMPOSTO CREMOSO E SENZA GRUMI, AL QUALE UNIRETE, SPENTO IL FUOCO, IL TUORLO D'UOVO. TAGLIATE A LISTARELLE I FILETTI DI POLLO CHE VERSERETE CON IL LORO CONDIMENTO NELLA BESCIAMELLA CON LA PANNA. CON QUESTA CREMA CONDITE I CONCHIGLIONI FATTI LESSARE AL DENTE. DISTRIBUITE IL PARMIGIANO E SERVITE.

INGREDIENTI PER 4 PERSONE:

400 gr. di pipe rigate
un trito di prezzemolo
1/2 spicchio d'aglio tritato
3 cipollette affettate sottilmente
1 Kg. di fave
olio d'oliva
pecorino grattugiato
sale
pepe

PER PRIMA COSA SGRANATE LE FAVE E RACCOGLIETELE IN UNA TERRINA. IN UNA CASSERUOLA CON 5 CUCCHIAIATE D'OLIO D'OLIVA FATE IMBIONDIRE LO SPICCHIO D'AGLIO TRITATO, LE CIPOLLETTE E IL TRITO DI PREZZEMOLO. VERSATE IN ESSA LE FAVE ED AGGIUNGETE UN PIZZICO DI SALE E PEPE. AGGIUNGETE UN MESTOLO D'ACQUA CALDA E SE PIÙ TARDI DOVESSERO RISULTARE TROPPO ASCIUTTE VERSATENE ANCORA.
FATE CUOCERE IN UNA LARGA PENTOLA MOLTA ACQUA SALATA; AL MOMENTO DELL'EBOLLIZIONE GETTATEVI LE PIPE.
APPENA LE FAVE SARANNO DIVENTATE MORBIDE E IL SUGHETTO LIMPIDO, CONDITE CON ESSO LE PIPE SCOLATE AL DENTE.
SERVITELE ACCOMPAGNATE AD UNA BUONA DOSE DI PECORINO GRATTUGIATO.

pipe al sugo freddo di tonno

INGREDIENTI: gr. 400 pipe rigate, gr. 200 di tonno sott'olio, 2 acciughe sotto sale, prezzemolo, olio, sale, pepe, aglio, pecorino grattugiato.

METTETE AL FUOCO ABBONDANTE ACQUA SALATA E PORTATE A EBOLLIZIONE. MENTRE LA PASTA CUOCE PREPARATE LA SALSA PER IL CONDIMENTO.
FRULLATE UNA MANCIATA DI PREZZEMOLO CON LO SPICCHIO DI AGLIO E LE ACCIUGHE SOTTO SALE CHE AVRETE PRECEDENTEMENTE LAVATO E DILISCATO. UNITE IL TONNO E REGOLATE DI SALE E PEPE.
SCOLATE LA PASTA, CONDITELA CON IL PECORINO GRATTUGIATO E LA SALSA DI TONNO.

CAVATIEDDI CON LA RUCOLA

INGREDIENTI PER 4 PERSONE: 150 gr. di semola 250 gr. di farina bianca; sale, acqua, burro, olio; 400 gr. di rucola mondata ("ruca" in dialetto regionale; 200 gr. di pomodori pelati e senza semi; 1 trito di basilico; 1 spicchio d'aglio pestato; pecorino grattugiato.

I "CAVATIEDDI" SONO UN TIPO DI PASTA ORIGINARIO DELLA PUGLIA ED HANNO LA FORMA DI PICCOLE CONCHIGLIE ALLUNGATE. CONDITE CON LA RUCOLA, FORMANO UNA FAMOSA SPECIALITÀ REGIONALE.

SETACCIATE LE DUE FARINE MESCOLATE, DISPONENDOLE A FONTANA; UNITE AD ESSE SALE ED ACQUA FINO A FORMARE UNA PALLA LISCIA E MOLTO SODA. DA QUESTA RICAVATE DEI CILINDRETTI LUNGHI 40-50 cm. CHE TAGLIERETE IN PICCOLI PEZZI. CON LA PUNTA DEL COLTELLO STRISCIATE LEGGERMENTE SUI PEZZI DI PASTA E POI FATELI ARROTOLARE SULLA SPIANATOIA. UNA VOLTA CHE TUTTI SARANNO PRONTI, FATELI ASCIUGARE E INFARINATELI BENE. PULITE LA RUCOLA E LESSATELA IN ACQUA SALATA, DOVE, QUASI AL TERMINE DELLA SUA COTTURA GETTERETE ANCHE I CAVATIEDDI PREPARATE IL SUGO FACENDO IMBIONDIRE IN 40 gr. di BURRO E 3 CUCCHIAI D'OLIO, L'AGLIO PESTATO. TOGLIETELO ED INSERITE I POMODORI SPEZZETTATI CON SALE E PEPE. A FINE COTTURA INSAPORITE CON IL TRITO DI BASILICO. QUANDO LA PASTA SARÀ COTTA AL DENTE, SCOLATELA INSIEME ALLA VERDURA E IN UNA TERRINA CONDITELA CON IL SUGO DI POMODORO, DISTRIBUITE MOLTO PECORINO E SERVITE SUBITO.

ORECCHIETTE ALLE RAPE

Ingredienti per 4 persone:

400 gr. di orecchiette pugliesi
350 gr. di cime di rape
4 acciughe diliscate e tagliuzzate
1 spicchio d'aglio tritato - sale
parmigiano grattugiato - pepe
1/2 bicchiere di vino bianco secco
1/2 bicchiere abbondante d'olio d'oliva

FATE CUOCERE LE CIME DI RAPE IN UNA PENTOLA CON ACQUA BOLLENTE SALATA. UNA VOLTA LESSATE, SCOLATELE E TENETE DA PARTE L'ACQUA DI COTTURA. FATE IMBIONDIRE, IN UNA CASSERUOLA IL TRITO D'AGLIO NELL'OLIO D'OLIVA. QUINDI UNITE LE ACCIUGHE, CERCANDO DI SPAPPOLARLE CON UNA FORCHETTA.
VERSATE IL VINO BIANCO, FACENDOLO ASSORBIRE, E INSERITE LE CIME DI RAPE BOLLITE. REGOLANDO DI SALE E PEPE, FATE CUOCERE PER UN QUARTO D'ORA A FUOCO LENTISSIMO.
NEL FRATTEMPO METTETE NUOVAMENTO AD EBOLLIZIONE L'ACQUA DI COTTURA DELLA RAPE E VERSATEVI LE ORECCHIETTE.
SCOLATELE AL DENTE E CONDITELE CON IL SUGO ALLE CIME DI RAPE, ACCOMPAGNANDO AL PARMIGIANO GRATTU-

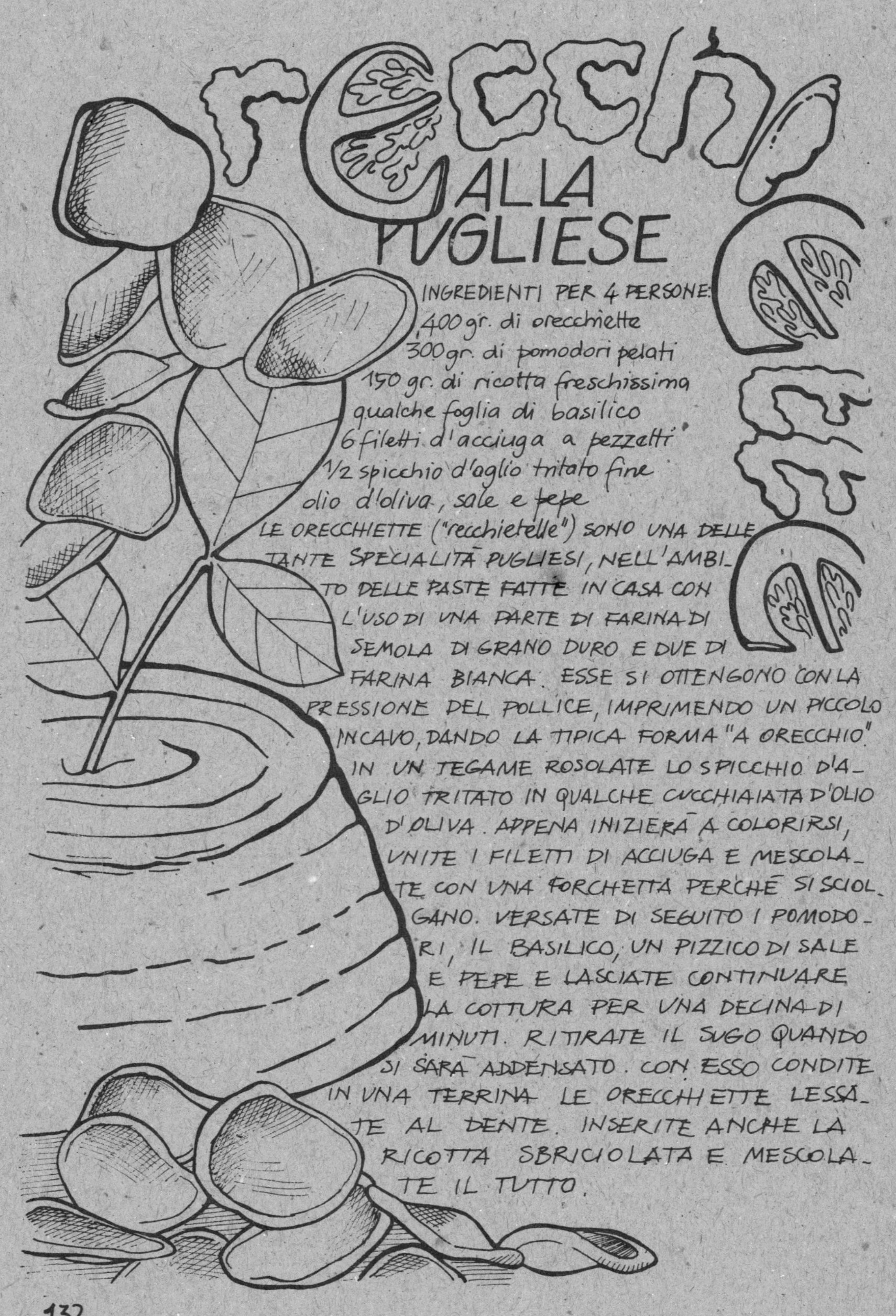

ORECCHIETTE ALLA PUGLIESE

INGREDIENTI PER 4 PERSONE:

400 gr. di orecchiette
300 gr. di pomodori pelati
150 gr. di ricotta freschissima
qualche foglia di basilico
6 filetti d'acciuga a pezzetti
1/2 spicchio d'aglio tritato fine
olio d'oliva, sale e pepe

LE ORECCHIETTE ("recchietelle") SONO UNA DELLE TANTE SPECIALITÀ PUGLIESI, NELL'AMBITO DELLE PASTE FATTE IN CASA CON L'USO DI UNA PARTE DI FARINA DI SEMOLA DI GRANO DURO E DUE DI FARINA BIANCA. ESSE SI OTTENGONO CON LA PRESSIONE DEL POLLICE, IMPRIMENDO UN PICCOLO INCAVO, DANDO LA TIPICA FORMA "A ORECCHIO".
IN UN TEGAME ROSOLATE LO SPICCHIO D'AGLIO TRITATO IN QUALCHE CUCCHIAIATA D'OLIO D'OLIVA. APPENA INIZIERÀ A COLORIRSI, UNITE I FILETTI DI ACCIUGA E MESCOLATE CON UNA FORCHETTA PERCHÉ SI SCIOLGANO. VERSATE DI SEGUITO I POMODORI, IL BASILICO, UN PIZZICO DI SALE E PEPE E LASCIATE CONTINUARE LA COTTURA PER UNA DECINA DI MINUTI. RITIRATE IL SUGO QUANDO SI SARÀ ADDENSATO. CON ESSO CONDITE IN UNA TERRINA LE ORECCHIETTE LESSATE AL DENTE. INSERITE ANCHE LA RICOTTA SBRICIOLATA E MESCOLATE IL TUTTO.

ZITE ai BROCCOLI

INGREDIENTI PER 4 PERSONE:

400 gr. di mezze zite
un broccolo
olio vergine d'oliva
3 acciughe diliscate e spezzettate
una cipolla piccola tritata
una manciatina di pinoli pestati grossolanamente in un mortaio
un pugnetto di uva passa amollata in acqua calda e poi strizzata
pecorino piccante grattugiato
sale e pepe

QUESTO PIATTO, TIPICAMENTE SICILIANO, PRESENTA GLI AROMI E I SAPORI CARATTERISTICI DELLA GASTRONOMIA LOCALE: L'UVETTA, I PINOLI E L'IMMANCABILE TOCCO FINALE DEL PECORINO PICCANTE. RIDUCETE IL BROCCOLO IN TANTE PICCOLE CIME, CHE LESSERETE IN ACQUA BOLLENTE SALATA. PREPARATE QUINDI IL CONDIMENTO FACENDO ROSOLARE IN UNA CASSERUOLA LA CIPOLLA TRITATA IN MEZZO BICCHIERE D'OLIO DI OLIVA. APPENA SI SARÀ IMBIONDITA, UNITE ALLA CIPOLLA LE ACCIUGHE, SPAPPOLANDOLE CON UNA FORCHETTA, I PINOLI E L'UVETTA AMMOLLATA E STRIZZATA. FATE PRENDERE CALORE E AGGIUNGETE LE CIMETTE DI BROCCOLO, INSAPORENDO CON SALE E PEPE MACINATO AL MOMENTO. CONTINUATE LA COTTURA PER 10 MINUTI A FUOCO LENTO E, PRIMA DI TOGLIERE LA CASSERUOLA, AGGIUNGETE UNA MANCIATA DI PECORINO GRATTUGIATO. CON QUESTO PRELIBATO SUGHETTO, CHE RISULTERÀ OMOGENEO E DENSO POICHÈ I BROCCOLI SI SARANNO DISFATTI, CONDITE LA PASTA LESSATA AL DENTE. MESCOLATE IL TUTTO IN UNA ZUPPIERA E SERVITE ACCOMPAGNANDO AD ALTRO PECORINO GRATTUGIATO.

ZITE con POMODORI al FORNO

INGREDIENTI:

400 gr. di zite, 800 gr. di pomodori San Marzano, olio di oliva, aglio, basilico, origano, pecorino grattugiato, sale e pepe.

ESECUZIONE:

LAVATE I POMODORI, TAGLIATELI A META', SALATELI COSPARGETELI CON UN TRITO DI AGLIO, ORIGANO E BASILICO.

DISPONETELI IN UNA TEGLIA DA FORNO, IRRORATELI DI OLIO D'OLIVA E FATELI CUOCERE A CALORE MEDIO FINO A QUANDO SI SARANNO ASCIUGATI (CI VORRANNO CIRCA DUE ORE)

SPEZZETTATE GLI ZITI, LESSATE LA PASTA AL DENTE, SCOLATELA E CONDITELA CON UN FILO DI OLIO E ABBONDANTE PECORINO.

SISTEMATELA IN UNA TEGLIA A STRATI CON POMODORI.

FATE GRATINARE IN FORNO E SERVITE.

tagliatelle, taglioline, fettuccine.

INGREDIENTI:

400 gr. di tagliatelle - 200 gr. di tonno in scatola - 1 tazza di salsa di pomodoro - 3 cucchiai di maionese - Prezzemolo - Basilico - Sale - Pepe

IN UNA ZUPPIERA METTETE IL TONNO SBRICIOLATO, LA SALSA DI POMODORO, LA MAIONESE E UN CUCCHIAIO DI PREZZEMOLO E BASILICO TRITATI.
SALATE, PEPATE E MESCOLATE GLI INGREDIENTI IN MODO DA OTTENERE UNA CREMA.
LESSATE LE TAGLIATELLE AL DENTE, RAFFREDDATELE SOTTO L'ACQUA E CONDITELE CON LA SALSA PREPARATA.

TAGLIATELLE AL SUGO DI CONIGLIO

INGREDIENTI:

400 gr. di tagliatelle - 1 coniglio piccolo - 100 gr. di pancetta - 25 gr. di funghi secchi - 50 gr. di burro - Una cipolla - Una carota - Un gambo di sedano - Alloro - 2 cucchiai di salsa di pomodoro concentrata - Vino bianco secco - Olio di oliva - Sale - Pepe.

TAGLIATE IL CONIGLIO A PEZZI, TENETE DA PARTE IL FEGATO, E METTETELO IN UNA CASSERUOLA SUL FUOCO FINCHÈ AVRÀ EMESSO L'ACQUA.

AMMOLLATE I FUNGHI IN ACQUA TIEPIDA E TRITATE IL SEDANO, LA CAROTA E LA CIPOLLA INSIEME ALLA PANCETTA E AL FEGATO DEL CONIGLIO.
FATE ROSOLARE IL TRITO CON DUE CUCCHIAI DI OLIO E UNA NOCE DI BURRO, UNITE I PEZZI DI CONIGLIO E SPRUZZATE CON UN BICCHIERE DI VINO BIANCO SECCO. AGGIUNGETE I FUNGHI STRIZZATI E TAGLIATI A PEZZETTI, UNA FOGLIA DI ALLORO E LA SALSA DI POMODORO DILUITA IN UN BICCHIERE D'ACQUA. SALATE, PEPATE E PORTATE A COTTURA MOLTO LENTAMENTE, RIGIRANDO SPESSO E AGGIUNGENDO ACQUA TIEPIDA NEL CASO IN CUI IL CONIGLIO TENDESSE AD ASCIUGARSI.

A COTTURA ULTIMATA DISOSSATE IL CONIGLIO E RICAVATENE DELLE STRISCIOLINE. FATE CUOCERE ANCORA UNA DECINA DI MINUTI.

LESSATE LE TAGLIATELLE E CONDITELE CON UNA NOCE DI BURRO, IL SUGO DI CONIGLIO ED EVENTUALE PARMIGIANO GRATTUGIATO.

Tagliatelle smalzate

INGREDIENTI PER 6 PERSONE:

PER LE TAGLIATELLE:
550 gr. di farina bianca - 2 uova - Sale

PER IL CONDIMENTO:
1 Kg. di noce di vitello - 50 gr. di burro - Brodo - 1 cipolla - Farina bianca - Vino bianco - 125 gr. di panna - Sale - Pepe

CON 500 gr. DI FARINA, LE UOVA, UN PIZZICO DI SALE E ACQUA QUANTO BASTA, PREPARATE UNA PASTA MORBIDA. STENDETE LA SFOGLIA, RICAVATENE LE TAGLIATELLE E METTETELE AD ASCIUGARE.
TRITATE LA CIPOLLA FINISSIMA, FATELA SOFFRIGGERE E UNITE LA CARNE BEN INFARINATA. QUANDO LA CARNE SARÀ BEN ROSOLATA VERSATE UN BICCHIERE DI VINO BIANCO E LASCIATELO EVAPORARE. AGGIUNGETE DUE MESTOLI DI BRODO E LASCIATE CUOCERE.
A COTTURA QUASI ULTIMATA METTETE LA PANNA, SALE, PEPE E SE NECESSARIO ANCORA UN PO' DI BRODO.
L'INTINGOLO DEVE ESSERE ABBONDANTE.

LESSATE LE TAGLIATELLE IN ACQUA SALATA, SCOLATELE E CONDITELE CON IL SUGO DELLA CARNE.

LA CARNE DI VITELLO POTETE SERVIRLA COME SECONDA PORTATA.

tagliatelle al sugo di carne alla toscana

INGREDIENTI PER 6 PERSONE:
600 gr. di tagliatelle
400 gr. di carne di manzo
300 gr. di pomodori
100 gr. di olio d'oliva
15 gr. di funghi secchi
1 cipolla - 1 carota - 1 costa di sedano - Basilico
1 bicchiere di vino rosso
1 mestolino di brodo
Salsa di pomodoro - Sale - Pepe

IN UNA CASSERUOLA DI TERRACOTTA METTETE LA CARNE TAGLIATA A GROSSI PEZZI, LA CAROTA TRITATA, IL SEDANO, LA CIPOLLA E QUALCHE FOGLIA DI BASILICO, SALE, PEPE ED OLIO. DOPO AVER FATTO ROSOLARE SENZA COPERCHIO, AGGIUNGETE IL VINO.
DOPO 15 MINUTI UNITE I POMODORI, PELATI E TRITATI, ED UN CUCCHIAIO DI SALSINA DI POMODORO DILUITA NEL BRODO BEN CALDO.
NEL FRATTEMPO AMMORBIDITE I FUNGHI IN POCA ACQUA TIEPIDA.
QUANDO LA CARNE SARÀ COTTA, TRITATELA FINEMENTE CON I FUNGHI BEN STRIZZATI, RIMETTETE IL FRITTO NELLA CASSERUOLA ASSIEME ALL'ACQUA DEI FUNGHI FILTRATA CON MOLTA CURA. DOPO 40 MINUTI IL SUGO È PRONTO. CI CONDIRETE LE TAGLIATELLE COTTE E SCOLATE AL DENTE.

TAGLIATELLE alla romagnola

INGREDIENTI PER 6 PERSONE:
400 gr. di farina
4 uova
500 gr. di pomodori maturi
1 spicchio d'aglio
Una manciata di prezzemolo
Olio d'oliva - Sale - Pepe
Parmigiano grattugiato

VERSATE 350 gr. DI FARINA SULLA SPIANATOIA, SCAVATELA AL CENTRO FORMANDO LA CONCA, PONETEVI LE UOVA E DUE PIZZICHI DI SALE. IMPASTATE CON LE MANI E LAVORATE ENERGICAMENTE IN MODO DA RICAVARNE UN COMPOSTO LISCIO ED ELASTICO.
INFARINATE LEGGERMENTE LA SPIANATOIA E STENDETE LA PASTA IN UNA SFOGLIA MOLTO SOTTILE CHE LASCERETE ASCIUGARE DISTESA SU UNA TOVAGLIA PIEGATA DOPPIA.
MENTRE LA PASTA ASCIUGA PREPARATE IL SUGO.
TRITATE AGLIO E PREZZEMOLO, PASSATELI IN CASSERUOLA E SOFFRIGGETELI IN 4 CUCCHIAI D'OLIO. AGGIUNGETE I POMODORI CHE AVRETE LAVATO E SMINUZZATO, SALATE, PEPATE ED ALLUNGATE CON UN BICCHIERE D'ACQUA TIEPIDA.
QUANDO LA PASTA SARÀ BEN SECCA, ARROTOLATELA FORMANDO UN LUNGO CILINDRO. DIVIDETELA POI IN SEGMENTI LARGHI 1 CENTIMETRO CIRCA E SROTOLATELA. BOLLITE ABBONDANTE ACQUA, SALATELA E CUOCETEVI LE TAGLIATELLE PER 4-5 MINUTI. A COTTURA ULTIMATA, SCOLATELE ACCURATAMENTE E CONDITELE CON LA SALSA CHE AVRETE PRECEDENTEMENTE SETACCIATO. SERVITE LE TAGLIATELLE MOLTO CALDE E BEN COSPARSE DI PARMIGIANO GRATTUGIATO.

TAGLIATELLE COLORATE

INGREDIENTI PER 6-8 PERSONE:

PER LA PASTA:
600 gr. di farina
6 uova fresche
200 gr. di spinaci
2 cucchiaiate di concentrato
di pomodoro
Sale - Acqua

PER IL CONDIMENTO:
150 gr. di prosciutto a dadini
100 gr. di funghi secchi porcini ammollati
in acqua tiepida e poi strizzati
2 cipolle tritate fini
Qualche foglia di basilico tritata
80 gr. di burro
1 bicchiere di panna da cucina
Abbondante parmigiano grattugiato
Brodo caldo - Sale - Pepe

PERCHÈ SEMPRE LA SOLITA PASTA DI COLORE GIALLO-DORATO?
VISTO CHE È POSSIBILE RENDERLA FANTASIOSA CON SEMPLICITÀ E POCHI INGREDIENTI (VERDE CON SPINACI, ROSSA CON POMODORO, MARRONE CON CACAO, ARANCIO CON ZUCCA ECC...), FACCIAMOLA INSIEME!

DISPONETE LA FARINA SETACCIATA IN DUE FONTANE, DA 300 gr. PER OGNUNA. AL CENTRO ROMPETE LE UOVA, METTETE UN PIZZICO DI SALE E L'ACQUA. IN UNA VERSATE GLI SPINACI CHE AVRETE LESSATO PRECEDENTEMENTE IN ACQUA SALATA E CHE POI AVRETE TRITATO FINEMENTE, NELL'ALTRA LE DUE CUCCHIAIATE DI POMODORO.
LAVORATE COME AL SOLITO FORMANDO DUE PANETTI, DI DIVERSO COLORE, LISCI ED ELASTICI, CHE FARETE RIPOSARE PER UNA DECINA DI MINUTI.
NEL FRATTEMPO TENETE A BAGNO IN ACQUA TIEPIDA I FUNGHI PORCINI PER 10 MINUTI, E POI STRIZZATELI.
IN UN TEGAME CON IL BURRO FATE ROSOLARE IL TRITO DI CIPOLLE E BASILICO. UNITE IL PROSCIUTTO A DADINI ED I FUNGHI. FATE SOFFRIGGERE A FUOCO VIVACE PER 10 MINUTI CIRCA E POI VERSATE DUE MESTOLI DI BRODO CALDO; SALATE E PEPATE, ABBASSANDO IL FUOCO.
TIRATE A SFOGLIA I DUE PANETTI E RITAGLIATE LE STRISCE DI PASTA NELLA MISURA CHE PREFERITE. QUINDI LESSATE LE TAGLIATELLE IN ABBONDANTE ACQUA SALATA.
APPENA IL SUGO SARÀ BEN LEGATO E COLORITO, RITIRATELO DAL FUOCO ED INSERITEVI LA PANNA DA CUCINA, MESCOLANDO CON UN CUCCHIAIO DI LEGNO. CON QUESTA SALSA RUSTICA CONDITE LE TAGLIATELLE, CHE AVRETE SCOLATO AL DENTE. SERVITE ACCOMPAGNANDO A PARMIGIANO GRATTUGIATO.

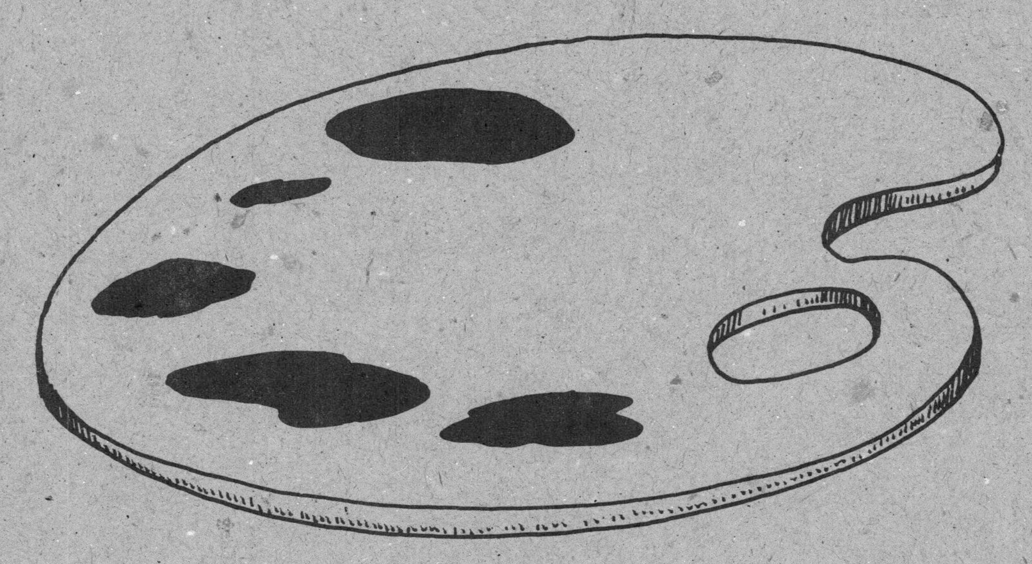

INGREDIENTI PER 4 PERSONE:

PER LA PASTA:
400 gr. di farina - 4 uova intere -
Un pizzico di sale - 100 gr. di cacao amaro in polvere - Acqua

PER IL CONDIMENTO:
100 gr. di burro - 300 gr. di mascarpone - Parmigiano grattugiato - Sale - Pepe

ECCO UN MODO ORIGINALISSIMO PER PRESENTARE UN PIATTO DI PASTA FRESCA.

MESCOLATE LA FARINA CON IL CACAO AMARO IN UNA TERRINA E POI SETACCIATE IL TUTTO SULLA SPIANATOIA DI LEGNO. NELL'INCAVO CENTRALE DELLA FONTANA INCORPORATE LE UOVA, IL SALE E L'ACQUA. LAVORANDO CON LA PUNTA DELLE DITA, CERCATE DI AMALGAMARE GLI INGREDIENTI E POI LAVORATE ENERGICAMENTE. FORMATE UNA PALLA LISCIA E SODA CHE DIVIDERETE IN DUE PANETTI, DA TIRARE A SFOGLIA. INFARINATE E FATE SECCARE.
DOPO DI CHE TAGLIATE LE STRISCE DI PASTA NELLA MISURA CHE DESIDERATE E LESSATELE AL DENTE IN ABBONDANTE ACQUA SALATA.
NEL FRATTEMPO FATE SGLIOGLIERE IN UNA PIROFILA A BAGNOMARIA IL BURRO CON IL MASCARPONE, MESCOLANDO CON UN CUCCHIAIO DI LEGNO.
UNA VOLTA CHE AVRETE SCOLATO LE TAGLIATELLE, VERSATELE NELLA PIROFILA FACENDOLE ADERIRE AL COMPOSTO CREMOSO DI MASCARPONE E BURRO. SALATE, PEPATE E DISTRIBUITE UNA BUONA MANCIATA DI PARMIGIANO GRATTUGIATO.

FATE GRATINARE PER UNA DECINA DI MINUTI E SERVITE.

Tagliatelle al ragù bolognese

INGREDIENTI PER 4 PERSONE:

400 gr. di tagliatelle - 60 gr. di burro - 50 gr. di pancetta tritata - Un trito di verdure preparato con: una gamba di sedano, una carota, una piccola cipollina - 200 gr. di polpa di manzo macinata - 1 cucchiaio di salsa di pomodoro concentrata - Sale - Pepe - Abbondante parmigiano grattugiato

IL RAGÙ È IL CONDIMENTO SOVRANO DELLA CUCINA EMILIANA, ED È UN RICCO, PRELIBATO, INSIEME DI AROMI E CARNI, TUTTI DI PRIMA SCELTA. APPARENTEMENTE FACILE DA OTTENERE, RICHIEDE PERÒ UN LUNGO TEMPO DI COTTURA. IN UNA CASSERUOLA FATE ROSOLARE 40 gr. DI BURRO, ASSIEME ALLA PANCETTA TRITATA. QUANDO IL GRASSO DELLA PANCETTA SI SARÀ SCIOLTO, AGGIUNGETE AL CONDIMENTO IL TRITO DI SEDANO, CAROTA E CIPOLLA. DOPO UNA DECINA DI MINUTI UNITE ANCHE LA POLPA DI MANZO MACINATA, REGOLANDO DI SALE E PEPE. QUANDO LA CARNE AVRÀ RAGGIUNTO UN BEL COLORITO BRUNITO, VERSATE LA SALSA DI POMODORO DILUITA IN UN MESTOLO DI ACQUA CALDA. A FUOCO MOLTO BASSO FATE CONTINUARE LA COTTURA DEL RAGÙ, VERSANDO DI TANTO IN TANTO, PER NON FARE TROPPO ASCIUGARE, QUALCHE CUCCHIAIO DI ACQUA CALDA. QUANDO IL SUGO SARÀ LIMPIDO, E LA CARNE DI UN BEL COLORE MARRONE, RITIRATE LA CASSERUOLA DAL FUOCO. INSERITE IL BURRO RIMASTO E MESCOLATE.
POTRETE QUINDI CONDIRE LE TAGLIATELLE, CHE AVRETE FATTO LESSARE AL DENTE.

PORTATE IN TAVOLA, DISTRIBUENDO MOLTO PARMIGIANO GRATTUGIATO.

TAGLIATELLE ALLA ZUAVA

INGREDIENTI PER 4 PERSONE:

400 gr. di tagliatelle fresche
30 gr. di burro
30 gr. di farina
1/2 litro di brodo
Sale - Pepe
50 gr. di prosciutto crudo a dadini
50 gr. di lingua salmistrata a dadini
1/2 bicchiere abbondante di panna da cucina
80 gr. di emmenthal grattugiato
Un piccolo tartufo nero

IN UNA PENTOLA A FONDO LARGO FATE BOLLIRE L'ACQUA SALATA PER CUOCERE LE TAGLIATELLE CHE "GETTERETE" AL MOMENTO DELL'EBOLLIZIONE.
NEL FRATTEMPO PREPARATE LA SALSA FACENDO SCIOGLIERE IL BURRO IN UNA CASSERUOLA E STEMPERANDOVI LA FARINA, POCO A POCO, CON UN CUCCHIAIO DI LEGNO. QUINDI DILUITE CON IL BRODO MESCOLANDO SEMPRE E TENENDO A FUOCO BASSISSIMO, PER ADDENSARE LA SALSA. VERSATEVI LA LINGUA SALMISTRATA E IL PROSCIUTTO CRUDO. SALATE E PEPATE. RITIRATELA DAL FUOCO QUANDO SARÀ DENSA E CREMOSA.
IN UNA TERRINA CONDITE LE TAGLIATELLE SCOLATE AL DENTE CON QUESTA SALSA, E AGGIUNGETE ANCHE IL BICCHIERE DI PANNA PER CUCINARE.

SERVITE IN TAVOLA DISTRIBUENDO L'EMMENTHAL GRATTUGIATO E IL PICCOLO TARTUFO, AFFETTATO SOTTILMENTE, CHE AVRETE GIÀ PROVVEDUTO A "SPAZZOLARE" CON L'APPOSITO STRUMENTO.

TAGLIATELLE DEL SOLE

INGREDIENTI PER 6 PERSONE:

500 gr. di tagliatelle
400 gr. di pomodori freschi senza pelle
né semi, passati al setaccio
100 gr. di carne di manzo tritata finemente
1 cipolla piccola tritata
200 gr. di salsiccia
1 grossa manciata di pinoli pestati grossolanamente
1 cucchiaiata di uvetta sultanina ammollata in
acqua tiepida
1/2 bicchiere di panna liquida da cucina
Burro - Olio - Sale - Pepe
Qualche foglia di basilico
Pecorino grattugiato

PREPARATE DAPPRIMA IL SUGO FACENDO SOFFRIGGERE LA CIPOLLA TRITATA IN 2 CUCCHIAIATE D'OLIO E 2 DI BURRO. DOPO POCHI MINUTI DI ROSOLATURA UNITE LA CARNE TRITATA, LA SALSICCIA SPELLATA E RIDOTTA A PEZZETTI, I POMODORI AL SETACCIO, SALE E PEPE. FATE CUOCERE A FUOCO MODERATO PER UNA MEZZ'ORA.
NEL FRATTEMPO METTETE A CUOCERE LE TAGLIATELLE IN ACQUA SALATA.
POCO PRIMA DI TOGLIERE IL SUGO DAL FUOCO, UNITE I PINOLI PESTATI, LA UVETTA, LE FOGLIE DI BASILICO E LA PANNA DA CUCINA, MESCOLANDO CON IL CUCCHIAIO DI LEGNO.
CON IL SUGO OTTENUTO, INCONTRO DI SAPORI E AROMI TIPICAMENTE MERIDIONALI, INSAPORITE LE TAGLIATELLE SCOLATE AL DENTE.
SPOLVERIZZATE LA PASTA CON UN VELO DI PECORINO E PORTATE IN TAVOLA.

tagliatelle al sugo di noci

INGREDIENTI PER 4 PERSONE:

400 gr. di tagliatelle all'uovo - Una ventina di gherigli di noci - La mollica di un morbido panino ammollata nel latte e poi strizzata - 1/2 spicchio d'aglio tritata finemente - Sale - Pepe - 1 bicchiere di "prescinsôea", cioè il tipico formaggio genovese: molle e tenero (in ogni caso può andare benissimo anche la ricotta fresca) - Un pizzico di maggiorana - Olio d'oliva - Parmigiano grattugiato.

QUESTO PIATTO È CARATTERIZZATO DA UN SUGO TIPICO DELLA REGIONE LIGURE, CHE VIENE USATO PER MOLTI TIPI DI PASTA E PER CONDIRE I FAMOSI "PANSOTI" LIGURI, CIOÈ DEI GROSSI RAVIOLI LOCALI.

PER PRIMA COSA IMMERGETE I GHERIGLI DI NOCI IN ACQUA BOLLENTE PER SPELLARLI COMPLETAMENTE. ORA, IN UN MORTAIO, PONETE I GHERIGLI, LA MOLLICA INZUPPATA E STRIZZATA, L'AGLIO, IL PIZZICO DI MAGGIORANA, SALE E PEPE; SCHIACCIATE BENE TUTTI GLI INGREDIENTI CONTRO LE PARETI, USANDO UN PESTELLO DI LEGNO O DI MARMO. UNA VOLTA CHE IL COMPOSTO SARÀ OMOGENEO, INSERITE LA "PRESCINSÔEA", CHE IN LIGURIA VIENE USATA GENERALMENTE PER PREPARARE LE FOCACCE, E QUALCHE CUCCHIAIO D'OLIO D'OLIVA. CERCATE DI OTTENERE UNA SALSA CREMOSA E DENSA, MESCOLANDO CON UN CUCCHIAIO DI LEGNO. EVENTUALMENTE, PER PREPARARE IN MODO PIÙ BREVE LA SALSA DI NOCI E SE NON POSSEDETE UN MORTAIO, POTRETE USARE UN FRULLATORE, ANCHE SE COSÌ FACENDO SI PERDE UN PO' IL GUSTO CASARECCIO E RUSTICO DELLA PREPARAZIONE.
LA PASTA, CHE AVRETE FATTO CUOCERE IN ABBONDANTE ACQUA SALATA, VA CONDITA SUBITO, APPENA SCOLATA, CON LA GUSTOSA SALSA E QUALCHE FIOCCHETTO DI BURRO.
A VOSTRA SCELTA L'USO DI PARMIGIANO GRATTUGIATO COME FINALE.

tagliatelle con peperoni e melanzane

INGREDIENTI PER 6 PERSONE:

600 gr. di tagliatelle all'uovo - ½ bicchiere d'olio d'oliva - 2 spicchi d'aglio pestati - 4 pomodori polposi, senza pelle nè semi - 1 melanzana di media grandezza - 2 peperoni gialli - Una manciata di capperi - Qualche foglia di basilico tritata - 3 acciughe dissalate, diliscate e ridotte in pezzetti - Una manciata abbondante di olive nere - Sale - Pepe

FATE PRENDERE COLORE AI DUE SPICCHI D'AGLIO (POI LI TOGLIERETE), IN UNA CASSERUOLA CON L'OLIO D'OLIVA ED UNITE I POMODORI SPEZZETTATI CON LA MELANZANA (TENETE LA BUCCIA INTATTA) A DADINI. MENTRE QUESTE VERDURE INIZIANO A CUOCERE, FATE ABBRUSTOLIRE I PEPERONI SULLA FIAMMA E TOGLIETE LORO LA PELLICINA SFREGANDOLI IN UNO STROFINACCIO.
QUINDI TAGLIATELI A LISTARELLE ED AGGIUNGETELI AL SOFFRITTO. UNITE POI LE OLIVE NERE SNOCCIOLATE, I CAPPERI, IL BASILICO TRITATO E LE ACCIUGHE. MESCOLATE IL TUTTO CON UN CUCCHIAIO DI LEGNO, AGGIUNGENDO UN MESTOLINO D'ACQUA CALDA OGNI TANTO, SE IL CONDIMENTO RISULTASSE UN PO' TROPPO SPESSO.
FATE NATURALMENTE CUOCERE LE TAGLIATELLE IN ACQUA SALATA BOLLENTE E SCOLATELE AL DENTE. VERSATELE IN UNA TERRINA E CONDITELE CON IL SAPORITO SUGO AL QUALE AVRETE AGGIUNTO DEL SALE E DEL PEPE MACINATO AL MOMENTO. QUINDI SERVITE.

TAGLIATELLE AL PROSCIUTTO

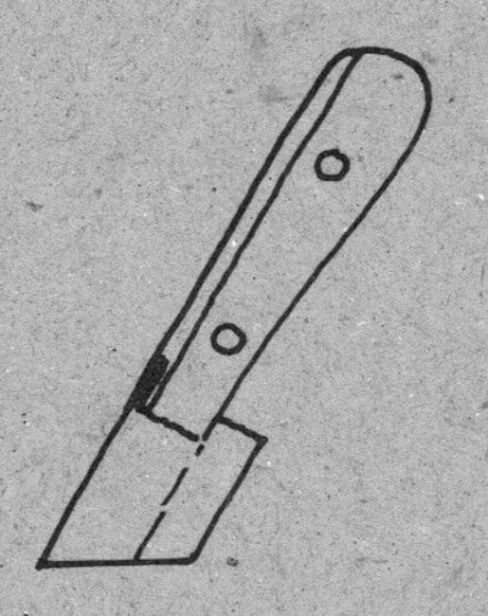

INGREDIENTI PER 4 PERSONE:

400 gr. di tagliatelle fresche – 150 gr. di prosciutto crudo tagliato a fette piuttosto sottili – 1/2 cipolla tritata – 1/2 bicchiere di vino bianco secco – Parmigiano reggiano grattugiato – 60 gr. di burro – Sale – Pepe

È QUESTA UNA DELLE TANTE RICETTE COMUNEMENTE PREPARATE IN EMILIA-ROMAGNA, ZONA FAMOSA PER ECCELLENZA NEL CAMPO DELLE PASTE FATTE IN CASA. NE ESISTONO SVARIATISSIMI TIPI E FORMATI: LASAGNE, AGNOLINI, AGNOLOTTI, TORTELLINI, TAGLIATELLE... CON I SUGHI E I RIPIENI PIÙ SUCCULENTI, COSÌ BUONI ANCHE PERCHÈ FAVORITI DA PRODOTTI DI PRIMA SCELTA QUALI IL FAMOSO PROSCIUTTO CRUDO DI PARMA E IL PARMIGIANO REGGIANO.
SEPARATE NELLE FETTE DI PROSCIUTTO CRUDO IL GRASSO DALLA CARNE, TRITANDO IL GRASSO INSIEME ALLA CIPOLLA. FATE IMBIONDIRE IN UN PADELLINO IL BURRO CON IL TRITO DI CIPOLLA E GRASSO. QUANDO IL SOFFRITTO AVRÀ RAGGIUNTO UN BEL COLORITO DORATO, UNITE LE FETTE DI PROSCIUTTO CRUDO. SPRUZZATE CON IL VINO BIANCO E LASCIATELO EVAPORARE. QUINDI INSAPORITE CON SALE E PEPE MACINATO AL MOMENTO. AVRETE GIÀ FATTO LESSARE LE TAGLIATELLE CHE, SCOLATE AL DENTE, CONDIRETE CON LA LORO SALSA AL PROSCIUTTO. PORTATE IN TAVOLA, DISTRIBUENDO, TANTO PER RIMANERE NELL'AMBITO DELLA REGIONE D'ORIGINE, DEL VERO PARMIGIANO GRATTUGIATO. UNA VARIANTE È QUELLA DI AGGIUNGERE, DOPO IL VINO BIANCO, ANCHE 300 gr. DI POMODORI PELATI.

tagliatelline al limone

INGREDIENTI PER 4 PERSONE:

400 gr. di tagliatelline all'uovo
Un limone
4 cucchiai di burro
6 cucchiai di panna di latte (una piccola confezione circa)
6 cucchiai di parmigiano grattugiato
Sale e se volete anche un pizzico di Pepe

METTETE A CUOCERE IN ACQUA BOLLENTE E SA-
LATA LE VOSTRE TAGLIATELLINE.
A PARTE, IN UN PENTOLINO, FATE SCIOGLIERE,
A FUOCO MOLTO BASSO, BURRO E PANNA. AG-
GIUNGETEVI LA SCORZA GRATTUGIATA E IL
SUCCO DEL LIMONE, MESCOLATE.
SCOLATE BENE LA PASTA E CON LA SALSA PRE-
PARATA LA CONDIRETE CON L'AGGIUNTA DI AB-
BONDANTE PARMIGIANO GRATTUGIATO.
SERVITE IL PIATTO BEN CALDO.

tagliatelle al succo d'arancia

INGREDIENTI:

400 gr. di tagliatelle all'uovo
Un'arancia grossa e sugosa
Un bicchierino di cognac
60 gr. di burro
4 cucchiai di panna fresca di latte
6 cucchiai di parmigiano grattugiato
Un cucchiaio di maizena
Sale e una presina di noce moscata

SPREMETE L'ARANCIA E FILTRATENE IL SUCCO PERCHÈ NON VI SIANO I SEMI. AGGIUNGETE A QUESTO SUCCO UN CUCCHIAIO DI MAIZENA, IL COGNAC, UN PIZZICO DI NOCE MOSCATA E UN PO' DI BUCCIA D'ARANCIA GRATTUGIATA. FATE SCALDARE BENE IL BURRO E LA PANNA SUL FUOCO IN UN TEGAMINO, MA EVITATE CHE FRIGGANO. CONDITE CON PANNA, BURRO FUSO E SALSA D'ARANCIA LE TAGLIATELLE, CHE AVRETE LESSATO IN ACQUA SALATA E QUINDI BEN SCOLATE. COSPARGETE IL VOSTRO PIATTO DI ABBONDANTE FORMAGGIO PARMIGIANO GRATTUGIATO.

nodi di tagliatelle

INGREDIENTI PER 4 PERSONE:

400 gr. di tagliatelle fresche
Olio d'oliva per friggere
2 cucchiai di farina bianca
Un albume
2 mazzetti di rucola
50 gr. di ricotta
Un cucchiaio di panna
Sale - Pepe

SCOTTATE LE FOGLIE DI RUCOLA, ROSOLATELE IN UN CUCCHIAIO D'OLIO E FRULLATELE CON LA RICOTTA E LA PANNA; SALATE, PEPATE E TENETE IN CALDO.
LESSATE LE TAGLIATELLE, DISPONETELE SU UN CANOVACCIO E ARROTOLATELE A NIDO. TUFFATE OGNI NIDO IN UNA PASTELLA OTTENUTA MESCOLANDO LA FARINA CON QUALCHE CUCCHIAIO D'ACQUA E L'ALBUME MONTATO A NEVE. FRIGGETE I NIDI IN OLIO BOLLENTE E CONDITELI CON LA SALSINA DI RUCOLA.

"LANACHE" con le cozze

INGREDIENTI PER 4 PERSONE:

400 gr. di tagliatelle fatte in casa, larghe circa 1 cm. e piut tosto corte, che a Bari sono appunto chiamate "lanache" - 500 gr. di cozze freschissime - 300 gr. di pecorino piccan te grattugiato - 100 gr. di mollica di pane sbriciolata, am mollata nel latte - 2 cucchiaiate di salsa di pomodoro con centrata - Olio d'oliva - Sale - Pepe - 2 uova intere - 1 grossa manciata di prezzemolo tritato - 1 spicchio di aglio tritato.

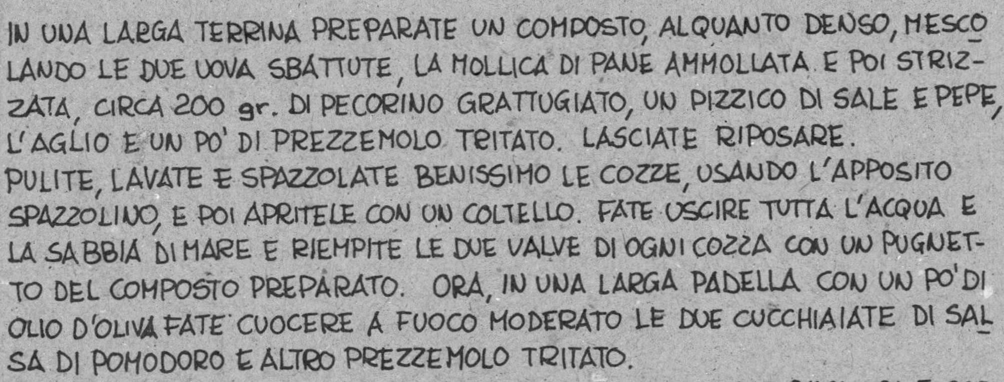

IN UNA LARGA TERRINA PREPARATE UN COMPOSTO, ALQUANTO DENSO, MESCO LANDO LE DUE UOVA SBATTUTE, LA MOLLICA DI PANE AMMOLLATA E POI STRIZ ZATA, CIRCA 200 gr. DI PECORINO GRATTUGIATO, UN PIZZICO DI SALE E PEPE, L'AGLIO E UN PO' DI PREZZEMOLO TRITATO. LASCIATE RIPOSARE.
PULITE, LAVATE E SPAZZOLATE BENISSIMO LE COZZE, USANDO L'APPOSITO SPAZZOLINO, E POI APRITELE CON UN COLTELLO. FATE USCIRE TUTTA L'ACQUA E LA SABBIA DI MARE E RIEMPITE LE DUE VALVE DI OGNI COZZA CON UN PUGNET TO DEL COMPOSTO PREPARATO. ORA, IN UNA LARGA PADELLA CON UN PO' DI OLIO D'OLIVA FATE CUOCERE A FUOCO MODERATO LE DUE CUCCHIAIATE DI SAL SA DI POMODORO E ALTRO PREZZEMOLO TRITATO.
IN ABBONDANTE ACQUA SALATA, FATE LESSARE LE LANACHE PUGLIESI E SCO LATELE AL DENTE. QUINDI PRESENTATELE IN UN LARGO PIATTO DI PORTATA CONDITE CON LE COZZE, LA LORO SALSA E COSPARSE DI PECORINO PICCANTE GRATTUGIATO; PORTATE IN TAVOLA E... ASPETTATEVI I MIGLIORI COMPLIMEN TI DAI VOSTRI OSPITI.

INGREDIENTI:

400 gr. di tagliolini – 1 mazzo di asparagi – 1 bicchiere di panna liquida – 100 gr. di parmigiano grattugiato – 50 gr. di burro – Sale – Pepe

PULITE ACCURATAMENTE GLI ASPARAGI ELIMINANDO LA PARTE PIÙ DURA DEI GAMBI. LEGATELI E FATELI LESSARE. LASCIATELI INTIEPIDIRE E TAGLIATELI A PEZZETTI CHE FARETE ROSOLARE NEL BURRO. SALATE E PEPATE. QUANDO GLI ASPARAGI SARANNO QUASI SFATTI PASSATELI AL FRULLATORE E RICAVATE UN PURÈ AL QUALE AGGIUNGERETE LA PANNA LIQUIDA E IL PARMIGIANO GRATTUGIATO.
FATE CUOCERE I TAGLIOLINI E CONDITELI CON LA SALSA DI ASPARAGI.

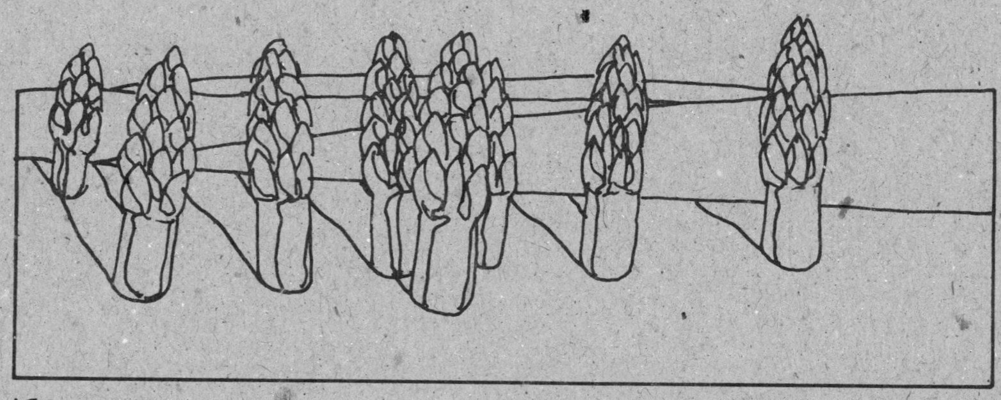

TAGLIOLINI CON SALSA DI CARCIOFI

INGREDIENTI:

400 gr. di tagliolini - 4 carciofi con le spine - 1 piccola cipolla - Olio - Burro - 2 cucchiai di panna - Succo di limone - Sale - Pepe

PRIVATE I CARCIOFI DELLE SPINE E DELLE FOGLIE ESTERNE, AFFETTATELI E METTETELI IN UNA BACINELLA CON ACQUA ACIDULATA CON SUCCO DI LIMONE PER EVITARE CHE ANNERISCANO.
AFFETTATE LA CIPOLLA E FATELA SOFFRIGGERE DOLCEMENTE IN 2 CUCCHIAI D'OLIO, UNITE I CARCIOFI E PORTATE A COTTURA AGGIUNGENDO EVENTUALMENTE UN PO' D'ACQUA CALDA.
QUANDO I CARCIOFI SARANNO QUASI SFATTI, REGOLATE DI SALE E PEPE E PASSATE AL FRULLATORE.
CUOCETE I TAGLIOLINI, CONDITELI CON IL BURRO E LA SALSA DI CARCIOFI ALLA QUALE AVRETE AGGIUNTO DUE CUCCHIAI DI PANNA.

tagliolini al tartufo

INGREDIENTI PER 4 PERSONE :

400 gr. di tagliolini - 1 cipollina di media grandezza tritata - 50 gr. di burro - 200 gr. di fegatini di pollo - 1/2 bicchiere di vino bianco secco - Un pizzico di noce moscata grattugiata - Sale - Pepe - 1 tartufo bianco - 50 gr. di emmenthal grattugiato.

IN UN TEGAME DI TERRACOTTA FATE ROSOLARE LA CIPOLLA TRITATA IN 50 gr. DI BURRO. PULITE E LAVATE MOLTO BENE I FEGATINI DI POLLO E TAGLIATELI GROSSOLANAMENTE. QUINDI UNITELI AL SOFFRITTO, BAGNATELI CON IL VINO BIANCO SECCO ED INSAPORITELI CON LA NOCE MOSCATA, IL PEPE E IL SALE. LASCIATE CONTINUARE LA COTTURA A FUOCO BASSO.
I TAGLIOLINI VANNO NATURALMENTE COTTI AL DENTE IN ACQUA SALATA, E POSTI IN UNA ZUPPIERA. VERSATE IL CONDIMENTO DI FEGATINI E L'EMMENTHAL A DADINI, RIMESCOLANDO BENE.
SERVITE IN TAVOLA DISTRIBUENDO SOPRA I TAGLIOLINI IL TARTUFO A SOTTILISSIME LAMELLE.

TAGLIOLINI AL SUGO DI PESCE

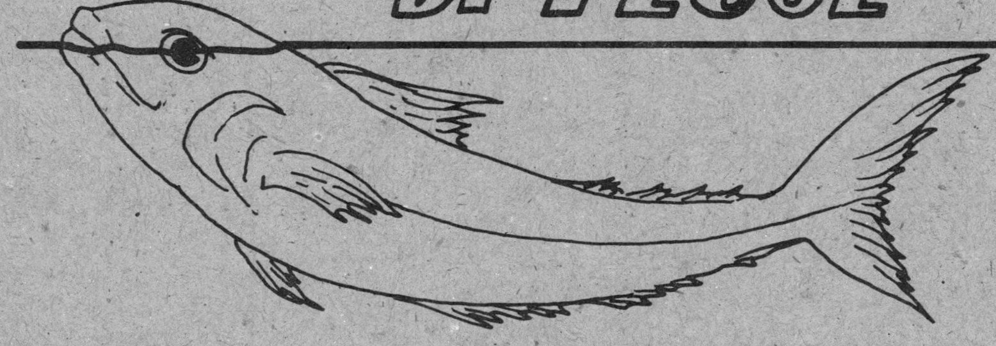

INGREDIENTI PER 4 PERSONE:
400 gr. di tagliolini (simili alle tagliatelle, ma un po' più sottili) - 600 gr. di pesce di modesto pregio, ad esempio: scorfano, gallinella o pesce prete... - 1/2 bicchiere d'olio d'oliva - 1 cipolletta affettata - 2 rametti di rosmarino - 2 cucchiai di prezzemolo tritato - Sale - Pepe.

PER PRIMA COSA PULITE MOLTO BENE IL PESCE CHE AVRETE SCELTO, ELIMINATE LA TESTA E LAVATELO SOTTO L'ACQUA CORRENTE. PONETELO IN UN TEGAME A BOLLIRE CON ACQUA ED UN RAMETTO DI ROSMARINO. LASCIATELO IN COTTURA PER 10 MINUTI E POI SCOLATELO, DILISCATELO E RIDUCETELO IN PICCOLI PEZZI. IN UN TEGAME FATE SOFFRIGGERE NELL'OLIO D'OLIVA LA CIPOLLINA AFFETTATA. DOPO AVER AGGIUNTO SALE, PEPE E L'ALTRO RAMETTO DI ROSMARINO, UNITE IL PESCE LESSATO A PEZZETTI. RICOPRITELO CON UN PO' DELLA SUA ACQUA DI COTTURA. DOPO CIRCA 20 MINUTI, SPEGNETE IL FUOCO E PASSATE IL TUTTO AL SETACCIO, OTTENENDO UN PASSATO FINE E SAPORITO. RIMETTETELO NUOVAMENTE NEL TEGAME ASSIEME AL PREZZEMOLO TRITATO E DATE L'ULTIMO BOLLORE A FUOCO VIVO. CON QUESTO SUGO DI PESCE CONDITE COSÌ I TAGLIOLINI LESSATI AL DENTE IN ACQUA SALATA ABBONDANTE.
SERVITE SUBITO IN TAVOLA, SENZA ACCOMPAGNARE A NESSUN TIPO DI FORMAGGIO: IL PESCE NON LO PERMETTE!

tagliolini al salmone

INGREDIENTI:

400 gr. di tagliolini - 200 gr. di salmone al naturale - Un ciuffo di prezzemolo - Un cucchiaino di capperi - 50 gr. di burro - vino bianco secco - Sale - Pepe

LAVATE IL PREZZEMOLO, TRITATELO INSIEME AI CAPPERI E FATE ROSOLARE NEL BURRO. SCOLATE IL SALMONE, SCHIACCIATELO CON UNA FORCHETTA E UNITELO AL PREZZEMOLO TRITATO. VERSATE MEZZO BICCHIERE DI VINO BIANCO E FATE EVAPORARE, SALATE E PEPATE.
LESSATE I TAGLIOLINI AL DENTE E CONDITELI CON LA SALSA AL SALMONE.

tagliolini con salsa di salmone e mandorle

INGREDIENTI PER 4 PERSONE:

400 gr. di tagliolini o spaghetti del tipo sottile – 50 gr. di salmone affumicato – 50 gr. di burro – 150 gr. di panna – 100 gr. di mandorle sgusciate – 2 rossi d'uovo – Scorza di limone grattata – Sale – 6 cucchiai di parmigiano grattugiato.

PASSATE AL FRULLATORE LE MANDORLE E RIDUCETELE QUASI IN POLVERE. TAGLIATE A PEZZETTI SOTTILISSIMI IL SALMONE E METTETELO A PARTE. VERSATE LE MANDORLE TRITATE IN UN TEGAMINO DOVE, A FUOCO BASSISSIMO, AVRETE FATTO FONDERE IL BURRO (EVITANDO PERÒ CHE FRIGGA). QUANDO IL TUTTO SARÀ SCALDATO, TOGLIETE VELOCEMENTE DALLA FIAMMA. FATE LESSARE IN ACQUA SALATA I VOSTRI TAGLIOLINI. MENTRE CUOCIONO, PREPARATE IN UNA TERRINA UNA SALSA CON LA PANNA, IL PARMIGIANO E DUE ROSSI D'UOVO CHE SBATTERETE BENE CON UNA FRUSTA (O FRULLINO). QUANDO LA PASTA SARÀ COTTA SCOLATELA BENE E CONDITELA CON LA SALSA DELLA TERRINA, AGGIUNGETE IL BURRO CALDO CON LE MANDORLE E COSPARGETE DI PEZZETTI DI SALMONE. SPOLVERATE ABBONDANTEMENTE DI PARMIGIANO.

TAGLIOLINI PANNA E SPECK

INGREDIENTI:

400 gr. di tagliolini - 150 gr. di speck - 200 gr. di panna liquida - Olio d'oliva - Burro - Parmigiano - Sale - Pepe

TAGLIATE LO SPECK A STRISCIOLINE E FATELO ROSOLARE CON DUE CUCCHIAI DI OLIO DI OLIVA. QUANDO SARÀ CROCCANTE UNITE LA PANNA, IL SALE E IL PEPE.
LESSATE I TAGLIOLINI AL DENTE, CONDITELI CON UNA NOCE DI BURRO, IL FORMAGGIO GRATTUGIATO E LA SALSA DI PANNA E SPECK.

PASTICCIO

DI TAGLIOLINI

INGREDIENTI PER 4 PERSONE:

500 gr. di tagliolini freschi
2 tuorli d'uovo
150 gr. di prosciutto crudo a listarelle
1 grossa mozzarella fresca affettata
100 gr. di burro
Sale - Burro -
Parmigiano grattugiato abbondante

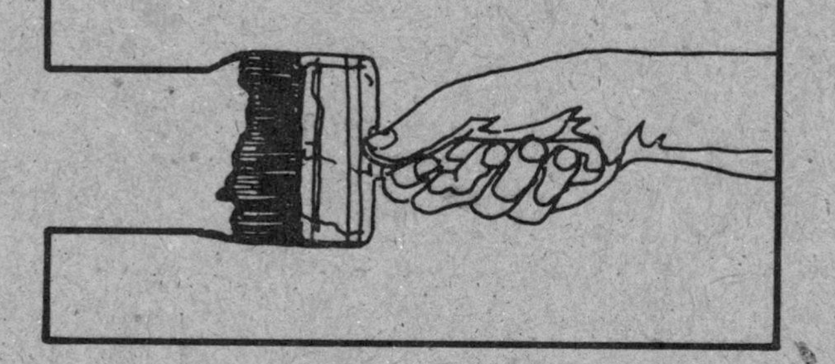

FATE CUOCERE I TAGLIOLINI AL DENTE IN ABBONDANTE ACQUA SALATA. METTETELI, UNA VOLTA SCOLATI, IN UNA TERRINA E CONDITELI CON 80 gr. DI BURRO, I DUE TUORLI D'UOVO E QUALCHE CUCCHIAIATA DI PARMIGIANO. ORA IMBURRATE UNA PIROFILA E DISPONETE SUL FONDO UNO STRATO DI LISTARELLE DI PROSCIUTTO CRUDO E UNO DI FETTINE DI MOZZARELLA.
ROVESCIATE I TAGLIOLINI E LIVELLATE BENE LA SUPERFICIE. COSPARGETE IL TUTTO CON QUALCHE FIOCCHETTO DI BURRO E CON UNA BUONA DOSE DI PARMIGIANO GRATTUGIATO.
QUINDI METTETE IN FORNO A GRATINARE PER CIRCA 20 MINUTI A FUOCO MODERATO.
PER RENDERE PIÙ RICERCATO QUESTO PASTICCIO, PUR COSÌ GUSTOSO, POTRETE ACCOMPAGNARLO A DEL SUGO DI POMODORO FRESCO.

FETTUCCINE ALLA ROMANA

INGREDIENTI PER 4 PERSONE:

Fettuccine preparate con 400 gr. di farina e 4 uova – 350 gr. di pomodori freschi – 250 gr. di regaglie di pollo – 50 gr. di grasso di prosciutto – 50 gr. di burro – 15 gr. di funghi secchi – Qualche cucchiaiata di sugo di umido di carne – Vino bianco secco – Una cipolla piccola – Formaggio (parmigiano o pecorino) – Poco brodo – Aglio – Sale.

FATE SOFFRIGGERE IL GRASSO DI PROSCIUTTO TAGLIATO A DADINI, UNITE LA CIPOLLA TRITATA E UNO SPICCHIO D'AGLIO (CHE LEVERETE QUANDO AVRÀ PRESO COLORE). AGGIUNGETE I POMODORI PELATI E SPEZZETTATI (SENZA SEMI) ED I FUNGHI AMMORBIDITI. AGGIUSTATE DI SALE.

A PARTE, IN UN TEGAMINO, FATE ROSOLARE IN 25 GR. DI BURRO LE REGAGLIE DI POLLO TAGLIATE A PEZZETTI, QUANDO SARANNO BEN ROSOLATE SPRUZZATELE CON IL VINO BIANCO, LASCIATELO EVAPORARE, POI AGGIUNGETE UN PO' DI BRODO, LASCIATE QUINDI CUOCERE A FIAMMA BASSA. UNITE LE REGAGLIE ALL'INTINGOLO DI POMODORO, ED IN ULTIMO AGGIUNGETE IL SUGO DI UMIDO DI CARNE. LESSATE LE FETTUCCINE, SCOLATELE E CONDITELE CON IL SUGO, IL RIMANENTE BURRO E IL FORMAGGIO GRATTUGIATO.

FETTUCCINE alla PAPALINA

INGREDIENTI PER 4 PERSONE:

400 gr. di fettuccine fresche
100 gr. di prosciutto crudo tagliato a listarelle
1/2 cipolla affettata sottilmente
200 gr. di piselli sgranati
1/2 bicchiere di panna da cucina
3 uova intere
80 gr. di burro
Parmigiano grattugiato
Sale - Pepe

DI ORIGINE ROMANA, QUESTO PIATTO HA UN SUGO VERAMENTE DELICATO.
FATE SOFFRIGGERE LA CIPOLLA A FETTINE IN 80 gr. DI BURRO; QUANDO AVRÀ PRESO COLORE, VERSATE I PISELLI FACENDOLI CUOCERE A FUOCO BASSO, E AGGIUNGENDO OGNI TANTO QUALCHE CUCCHIAIO D'ACQUA CALDA SALATA.
UNA VOLTA COTTI, INCORPORATE, ADESSI IL PROSCIUTTO CRUDO E LASCIATELO INSAPORIRE. ORA, IN UNA TERRINA, SBATTETE LE UOVA INTERE CON LA PANNA LIQUIDA, UN PIZZICO DI SALE, UNA SPOLVERATINA DI PEPE E UNA MANCIATINA DI PARMIGIANO GRATTUGIATO. AVRETE INTANTO LESSATO LE FETTUCCINE IN ACQUA SALATA, SCOLATELE AL DENTE, VERSATELE NELLA TERRINA CON LE UOVA SBATTUTE E CON IL CONDIMENTO DI PISELLI E PROSCIUTTO. MESCOLATE BENE. DISTRIBUITE UNA MANCIATA DI PARMIGIANO E PORTATE IN TAVOLA.

FETTUCCINE al mascarpone

INGREDIENTI PER 6 PERSONE:

600 gr. di fettuccine all'uovo
150 gr. di prosciutto cotto tagliato a listarelle
200 gr. di mascarpone freschissimo
2 rossi d'uovo
Parmigiano grattugiato - Sale - Pepe

IN UNA TERRINA SCIOGLIETE IL MASCARPONE USANDO QUALCHE CUCCHIAIATA D'ACQUA CALDA ED UNITE IL PROSCIUTTO, I DUE ROSSI D'UOVO, UNA MANCIATINA DI PARMIGIANO, UN PIZZICO DI SALE ED UNA SPOLVERATINA DI PEPE MACINATO AL MOMENTO. CON UN CUCCHIAIO DI LEGNO MESCOLATE OTTENENDO UNA CREMA SPUMOSA.

FATE LESSARE LE FETTUCCINE IN ABBONDANTE ACQUA SALATA. SCOLATELE E METTETELE NELLA TERRINA CON IL MASCARPONE. QUINDI SERVITELE, DOPO AVERLE SPOLVERIZZATE CON ALTRO PARMIGIANO GRATTUGIATO.

FETTUCCINE DI PARMA

INGREDIENTI PER 4 PERSONE:

400 gr. di fettuccine fresche
250 gr. di prosciutto crudo, rimanendo nel tema della ricetta, di Parma, tagliato a striscioline
80 gr. di burro
1/2 bicchiere di vino bianco secco
1/2 bicchiere di panna da cucina
Parmigiano grattugiato - Sale - Pepe

IN UNA PENTOLA CON ABBONDANTE ACQUA SALATA LESSATE LE FETTUCCINE.
NEL FRATTEMPO PREPARATE IL CONDIMENTO, CHE RISPECCHIA TUTTI GLI INGREDIENTI TIPICI DELLA CUCINA EMILIANA. IN UN TEGAME FATE SCIOGLIERE DOLCEMENTE IL BURRO. IN ESSO METTETE A ROSOLARE LE STRISCIOLINE DI PROSCIUTTO CRUDO. DOPO CIRCA 10 MINUTI SPRUZZATE CON IL VINO BIANCO E FATELO EVAPORARE.
SALATE, PEPATE E POCO PRIMA DI RITIRARE IL SUGHETTO DAL FUOCO, INSERITE LA PANNA, MESCOLANDOLA BENE CON UN CUCCHIAIO DI LEGNO PER FARLA RAPPRENDERE. SCOLATE LE FETTUCCINE AL DENTE E CONDITELE IN UNA TERRINA CON IL SUGO DI PROSCIUTTO E PANNA.
DISTRIBUITE ABBONDANTE PARMIGIANO E SERVITE.

FETTUCCINE al garofalato

(o al sugo d'umido)

INGREDIENTI PER 4 PERSONE:

400 gr. di fettuccine fresche
700 gr. di girello di spalla (sbordone) che utilizzerete in parte, come secondo piatto
Un pezzo di cotenna di prosciutto raschiata bene
3 chiodi di garofano
40 gr. di burro
Un trito preparato con: una cipolla, una carota e un gambo di sedano
Un rametto di prezzemolo e uno di alloro legati insieme
Qualche foglia di maggiorana tritata
1 spicchio d'aglio tritato
1 bicchiere di vino rosso
Sale e Pepe
1 cucchiaio di salsa di pomodoro concentrata
50 gr. di lardo tritato grossolanamente

È QUESTO UN PIATTO TIPICAMENTE ROMANO E PRENDE IL NOME STESSO DAL GERGO ROMANESCO, CHE USA INDICARE I CHIODI DI GAROFANO COME "GAROFALO".

DAPPRIMA BATTETE LA CARNE CON IL PESTACARNE E, DOPO AVERLE FATTO DELLE PICCOLE INCISIONI CON UN COLTELLO, RIEMPITE QUESTE INCISIONI, CIOÈ "LARDELLATELA", CON I DADINI DI LARDO PASSATI NEL SALE E NEL PEPE, CON UN PO' D'AGLIO TRITATO, I CHIODI DI GAROFANO E LE FOGLIE DI MAGGIORANA TRITATE. LEGATELA CON UN FILO E FATELA ROSOLARE IN UNA CASSERUOLA CON IL BURRO, IL LARDO RIMASTO, LA COTENNA DI PROSCIUTTO A DADINI, LE VERDURE TRITATE E LE ERBE AROMATICHE. DOPO QUALCHE MINUTO SPRUZZATE CON IL VINO ROSSO, FACENDOLO EVAPORARE. VERSATE ANCORA LA SALSA DI POMODORO CONCENTRATA DILUITA IN UN MESTOLO D'ACQUA. UNITE ALTRA ACQUA CALDA FINO A RICOPRIRE LA CARNE, SALATE, PEPATE E FATE CUOCERE PER UNA QUINDICINA DI MINUTI A FUOCO BASSO.

COME SECONDO PRESENTATE LA CARNE TAGLIATA A FETTE ABBASTANZA SOTTILI, MENTRE INVECE USERETE COME SUGO IL CONDIMENTO OTTENUTO PASSATO AL SETACCIO. CONDITE CON ESSO LE FETTUCCINE COTTE AL DENTE.

È ANCHE UN OTTIMO SUGO PER RISOTTO E TRIPPE.

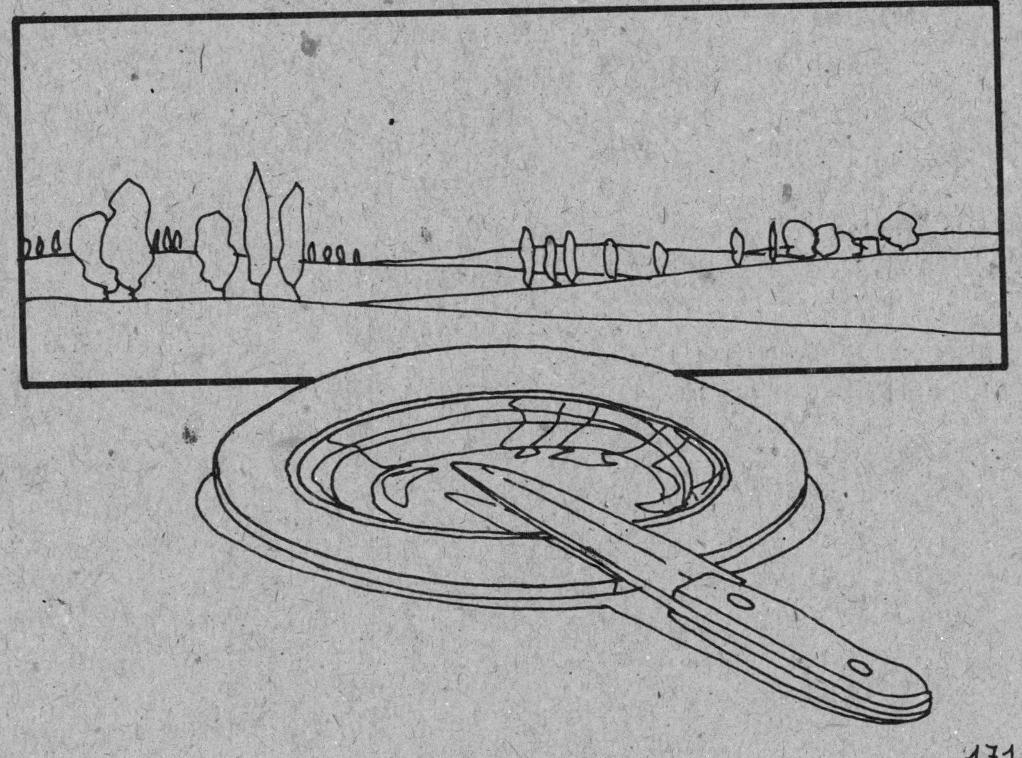

FETTUCCINE alle cipolle in salsa

INGREDIENTI PER 4 PERSONE :

400 gr. di fettuccine fresche - 500 gr. di cipollette molto tenere - Un mazzetto di basilico tritato - Burro - Una salsa besciamella ottenuta con: 50 gr. di burro, 30 gr. di farina, 1/2 litro di latte - Sale - Pepe - Parmigiano grattugiato.

TOGLIETE LA PELLICINA ALLE CIPOLLETTE E AFFETTATELE SOTTILMENTE, METTENDOLE POI IN UN TEGAME RICOPERTE DI ACQUA CALDA. AGGIUNGETE UN PIZZICO DI SALE E DI PEPE E FATE CUOCERE PER POCHI MINUTI.
SGOCCIOLATELE E FATELE ROSOLARE DOLCEMENTE IN UN TEGAME CON CIRCA 100 gr. DI BURRO. DOPO POCO UNITE IL TRITO DI BASILICO.
IN UNA PICCOLA CASSERUOLA PREPARATE LA BESCIAMELLA FACENDO SCIOGLIERE IL BURRO ED INSERENDOVI A POCO A POCO LA FARINA, MESCOLANDO IN MODO CHE NON SI FORMINO GRUMI. POI VERSATE IL LATTE E MESCOLATE. APPENA SI SARÀ RAPPRESA VERSATELA SUL COMPOSTO DI CIPOLLE, CON UNA PRESA DI SALE E PEPE. UNITE UNA BUONA MANCIATA DI PARMIGIANO GRATTUGIATO E DATE L'ULTIMO BOLLORE.
CON QUESTA SALSA CONDITE LE FETTUCCINE LESSATE AL DENTE IN ACQUA SALATA. DISTRIBUITE ANCORA DEL PARMIGIANO E SERVITE.

PAPPARDELLE CON SUGO DI SELVAGGINA

INGREDIENTI PER 4 PERSONE:

400 gr. di pappardelle fresche
200 gr. di regaglie di selvaggina (cuore, cervella, fegato...)
150 gr. di funghi di serra, tipo champignons
50 gr. di lardo tagliato a piccoli dadini
1/2 bicchiere di vino rosso
2 cucchiai di cognac
Sale - Pepe
Pecorino piccante grattugiato

IN UN TEGAME FATE SCIOGLIERE IL LARDO A DADINI. POCO DOPO AGGIUNGETE LE REGAGLIE TRITATE E CONTINUATE LA COTTURA A FUOCO BASSO. SPRUZZATE POI CON IL VINO ROSSO ED IL COGNAC, REGOLATO DI SALE E DI PEPE, COPRITE CON UN COPERCHIO.
NEL FRATTEMPO FATE SBOLLENTARE PER POCHI MINUTI I FUNGHI DI SERRA, BEN PULITI E TAGLIATI IN QUATTRO. QUINDI UNITELI AL SUGO.
FATE CUOCERE LE PAPPARDELLE IN ACQUA SALATA BOLLENTE E SCOLATELE AL DENTE. MESCOLATELE IN UNA TERRINA CON IL SUGHETTO DI SELVAGGINA E UNA BUONA MANCIATA DI PECORINO PICCANTE, POSSIBILMENTE ABRUZZESE.
PORTATE SUBITO IN TAVOLA.

PAPPARDELLE ALLA LEPRE

INGREDIENTI PER 4 PERSONE :

300 gr. di pappardelle
La parte anteriore di una lepre
1/2 bicchiere d'olio d'oliva
50 gr. di burro
Il fegato della lepre
Un rametto di rosmarino
Uno spicchio d'aglio pestato
50 gr. di pancetta grassa tritata
1 bicchiere di vino rosso molto corposo
1 cucchiaio di salsa di pomodoro concentrata
Sale - Pepe - Parmigiano grattugiato

È QUESTO UN PIATTO ORIGINARIO DELLA TOSCANA, REGIONE DOVE LE PASTASCIUTTE NON HANNO UN GRANDE RICONOSCIMENTO, SOPPIANTATE DALLE MINESTRE E DALLE ZUPPE DI VERDURE, DI POMODORI, DI CAVOLI...

TAGLIATE A PEZZI LA PARTE ANTERIORE DELLA LEPRE PARTENDO DALLE ARTICOLAZIONI, PER NON SCHEGGIARE LE OSSA. IN UNA CASSERUOLA CON L'OLIO E IL BURRO PONETE I PEZZI DI LEPRE BEN LAVATI ED ASCIUGATI. TENETE A FUOCO BASSO E QUANDO IL SUGO SARÀ DIVENTATO LIMPIDO, UNITE IL ROSMARINO, LA PANCETTA TRITATA E L'AGLIO.
DOPO POCHI MINUTI DI ROSOLATURA VERSATE IL VINO ROSSO ED IL POMODORO DILUITO IN UN PO' D'ACQUA CALDA. ORA COPRITE LA CASSERUOLA E FATE CONTINUARE LA COTTURA AGGIUNGENDO, SE NECESSARIO, ANCORA ACQUA CALDA, OGNI TANTO.
QUANDO LA LEPRE SARÀ BEN COTTA, TOGLIETELA DALLA CASSERUOLA, DISOSSATELA, TRITATELA GROSSOLANAMENTE E RIMETTETELA NEL SUGO PER ALTRI 5 MINUTI.

LE PAPPARDELLE, CHE SONO UNA SPECIE DI TAGLIATELLE, DI DIMENSIONI PIÙ GROSSE, VANNO NATURALMENTE COTTE AL DENTE.
UNA VOLTA SCOLATE, CONDITELE CON IL RICCO INTINGOLO OTTENUTO E SERVITE, ACCOMPAGNANDO A PARMIGIANO GRATTUGIATO.

pappardelle al ragù di fagioli

INGREDIENTI PER 4 PERSONE:

400 gr. di pappardelle
500 gr. di fagioli borlotti freschi
2 spicchi d'aglio pestati
70 gr. di pancetta affumicata a dadini (il cosidetto "bacon")
Olio d'oliva
2 cucchiai di salsa di pomodoro concentrata
1 punta di peperoncino piccante
Sale - Pepe - Parmigiano grattugiato

IN UN TEGAME, POSSIBILMENTE DI TERRACOTTA, FATE IMBIONDIRE, IN TRE CUCCHIAIATE D'OLIO D'OLIVA, GLI SPICCHI D'AGLIO E LA PANCETTA AFFUMICATA A DADINI. DOPO ALCUNI MINUTI DI ROSOLATURA UNITE AL CONDIMENTO I FAGIOLI. BAGNATELI CON DUE MESTOLI D'ACQUA BOLLENTE, NEI QUALI AVRETE PRECEDENTEMENTE DILUITO LA SALSA DI POMODORO CONCENTRATA. AGGIUNGETE LA PUNTA DI PEPERONCINO, IL SALE, IL PEPE, E MESCOLATE. COPRITE CON UN COPERCHIO E LASCIATE CONTINUARE LA COTTURA A FUOCO MODERATO PER UN'ORA (SE NECESSARIO, AGGIUNGETE ALTRA ACQUA BOLLENTE). DURANTE QUESTO TEMPO FATE LESSARE IN ABBONDANTE ACQUA SALATA LE PAPPARDELLE E CONDITELE, AL DENTE, CON IL RAGÙ DI FAGIOLI.

SERVITE SUBITO IN TAVOLA, DISTRIBUENDO PARMIGIANO GRATTUGIATO.

pappardelle con funghi e spinaci

INGREDIENTI:

400 gr. di pappardelle
300 gr. di funghi porcini o una bustina di funghi secchi
500 gr. di spinaci
Aglio - Panna liquida - Burro
Parmigiano grattugiato - Sale - Pepe

PULITE I FUNGHI, AFFETTATELI E FATELI ROSOLARE IN UNA PADELLA CON UNA GROSSA NOCE DI BURRO E UNO SPICCHIO D'AGLIO. SALATE, PEPATE E FATE CUOCERE POCHI MINUTI. MONDATE GLI SPINACI E LESSATELI IN ABBONDANTE ACQUA SALATA. SCOLATELI, STRIZZATELI E TENETE DA PARTE L'ACQUA DI COTTURA. LESSATE LE PAPPARDELLE AL DENTE NELL'ACQUA DI COTTURA DEGLI SPINACI. SCOLATELE E FATELE INSAPORIRE IN PADELLA CON I FUNGHI E GLI SPINACI. AGGIUNGETE QUALCHE CUCCHIAIATA DI PANNA LIQUIDA, IL PARMIGIANO GRATTUGIATO E SERVITE.

lasagne ravioli e cannelloni

LASAGNE AL FORNO CON FUNGHI

INGREDIENTI PER 4 PERSONE:
400 gr. di lasagne di circa 9-10 cm. di larghezza
150 gr. di carne magra di bue tritata
Un trito preparato con: una carotina, una piccola cipolla, un ciuffo di prezzemolo, una gamba di sedano
100 gr. di prosciutto crudo a listarelle
100 gr. di funghi porcini secchi, fatti ammollare in acqua tiepida
1/2 bicchiere di latte
100 gr. di burro
Abbondante parmigiano grattugiato

FATE CUOCERE LE LASAGNE IN UN LARGO RECIPIENTE CON ACQUA SALATA (SE AVRETE PREPARATO VOI STESSE LA PASTA AVRETE USATO 400 gr. DI FARINA CON 4 UOVA E AVRETE STESO LA PASTA IN SOTTILI STRATI DA RITAGLIARE IN QUADRATI DA CIRCA 9 cm.). QUANDO LE LASAGNE COMINCERANNO A VENIRE A GALLA, E QUINDI SARANNO MOLTO AL DENTE, TOGLIETELE CON UN MESTOLO FORATO PIATTO E STENDETELE SU DEI TOVAGLIOLI BAGNATI E STRIZZATI. FATELE RAFFREDDARE.
PREPARATE ORA IL SUGO FACENDO SCIOGLIERE IN UNA CASSERUOLA 60 gr. DI BURRO ED UNENDO AD ESSO IL TRITO DI VERDURE E LA CARNE MAGRA TRITATA. INSAPORITE CON SALE E PEPE, E AGGIUNGETE IL MEZZO BICCHIERE DI LATTE. DOPO POCHI MINUTI UNITE I FUNGHI PORCINI E MESCOLATE, LASCIANDO CUOCERE PER PIÙ DI MEZZ'ORA A FUOCO MODERATO. AL TERMINE DELLA COTTURA DEL SUGO, UNGETE CON UN PO' DI BURRO UNA PIROFILA. DISPONETE SUL FONDO UNO STRATO DI LASAGNE E UNO STRATO DI INTINGOLO DI FUNGHI E DI CARNE. DISTRIBUITE POI QUALCHE LISTARELLA DI PROSCIUTTO CRUDO E UN PO' DI PARMIGIANO. QUINDI RICOPRITE CON ALTRE LASAGNE E CONTINUATE AD ALTERNARE PASTA E CONDIMENTO, INFRAMMETTENDO SEMPRE PROSCIUTTO E PARMIGIANO. SULLA SUPERFICIE DISTRIBUITE DEL BURRO FUSO E DEL PARMIGIANO.
QUINDI INFORNATE A MEDIA TEMPERATURA PER PIÙ DI MEZZ'ORA.
DOPO DI CHE, SERVITE QUESTO PIATTO DELIZIOSO, CHE PRESENTERÀ UNA GUSTOSA E CROCCANTE CROSTA DORATA.

lasagne verdi

INGREDIENTI PER 4 PERSONE:

PER LA PASTA: 400 gr. di farina
4 uova
500 gr. di spinaci lessati

PER IL CONDIMENTO:

olio d'oliva
sale e pepe
abbondante parmigiano grattugiato
un ragù alla bolognese preparato secondo la ricetta delle "Tagliatelle al ragù bolognese"
una salsa besciamella preparata con: 50 gr. di burro, 40 gr. di farina, 1/2 litro di latte e sale.

PULITE GLI SPINACI, LAVATELI SOTTO L'ACQUA CORRENTE E FATELI LESSARE IN POCA ACQUA SALATA. UNA VOLTA COTTI, SCOLATELI, STRIZZATELI BENISSIMO E TRITATELI SUL TAGLIERE. ORA UNITELI ALLA FARINA, SETACCIATA A FONTANA SULLA SPIANATOIA, E ROMPETE LE UOVA. LAVORATE DAPPRIMA CON LE DITA PER AMALGAMARE TUTTI GLI ELEMENTI E POI PIÙ ENERGICAMENTE PER OTTENERE UN IMPASTO DI GIUSTA CONSISTENZA. STENDETE LA SFOGLIA, A MANO O CON LA MACCHINETTA, E RITAGLIATE TANTE STRISCE A RETTANGOLO. IN UNA PENTOLA LARGA E BASSA, FATE CUOCERE LE LASAGNE IN ACQUA SALATA A CUI AVRETE AGGIUNTO UN CUCCHIAINO DI OLIO, PER TENERE BEN SEPARATA LA PASTA.
PREPARATE ORA LA BESCIAMELLA FACENDO SCIOGLIERE, IN UNA CASSERUOLA, IL BURRO A FUOCO LENTISSIMO. AD ESSO UNITE MAN MANO LA FARINA E POI IL LATTE FREDDO IN UN SOLO COLPO. SE NON RISULTERÀ MOLTO DENSA POTRETE AGGIUNGERE, POCO PER VOLTA, ALTRA FARINA.
IN UNA PIROFILA IMBURRATA DISPONETE A STRATI LE LASAGNE (CHE AVRETE SCOLATO CON UN MESTOLO FORATO E FATTO ASCIUGARE SU UNA TOVAGLIETTA UMIDA) E LA SALSA BESCIAMELLA, UN PO' DI RAGÙ E UN PO' DI PARMIGIANO GRATTUGIATO. COSÌ DI SEGUITO FINO IN SUPERFICIE, DOVE DISPORRETE ANCORA BESCIAMELLA E PARMIGIANO.

PONETE IN FORNO PER 15 MINUTI E SERVITE QUESTO PRELIBATO PIATTO MOLTO CALDO.

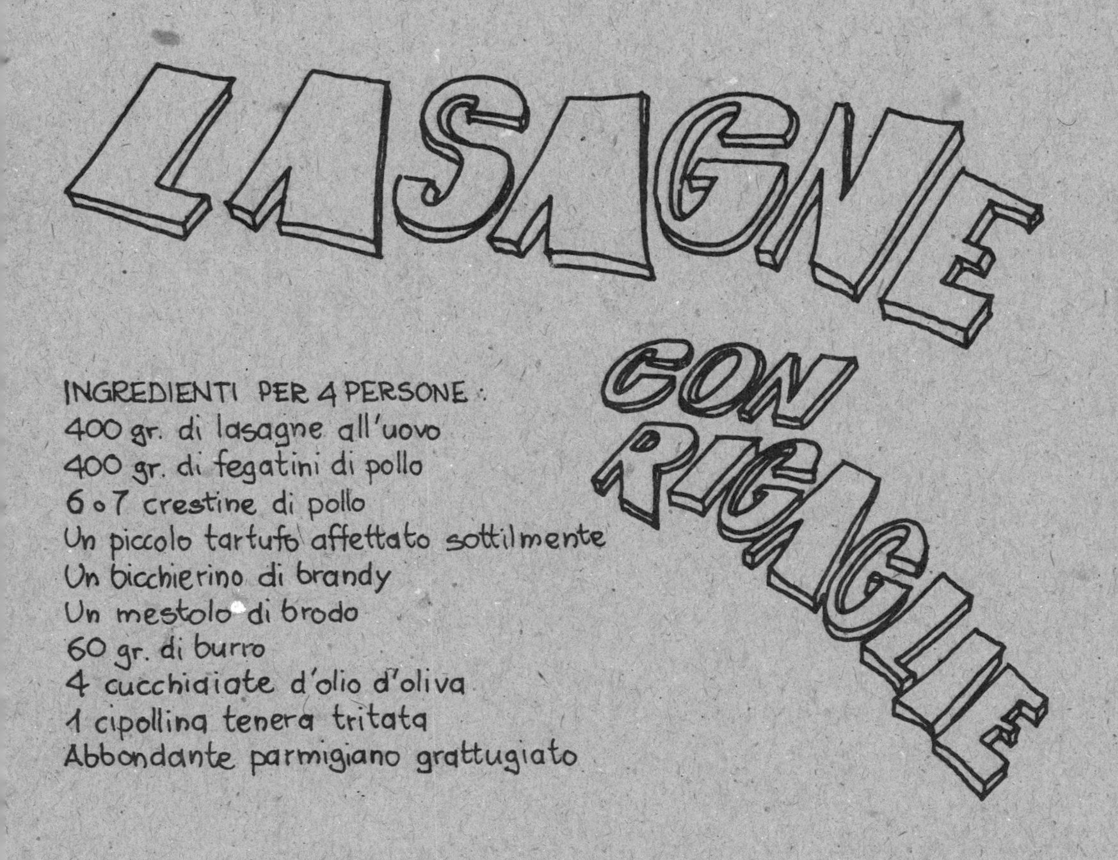

INGREDIENTI PER 4 PERSONE:
400 gr. di lasagne all'uovo
400 gr. di fegatini di pollo
6 o 7 crestine di pollo
Un piccolo tartufo affettato sottilmente
Un bicchierino di brandy
Un mestolo di brodo
60 gr. di burro
4 cucchiaiate d'olio d'oliva
1 cipollina tenera tritata
Abbondante parmigiano grattugiato

FATE SBOLLENTARE IN ACQUA BOLLENTE PER 10 MINUTI LE CRESTINE DI POLLO. POI SCOLATELE E TRITATELE GROSSOLANAMENTE. TAGLIUZZATE ANCHE I FEGATINI, CHE AVRETE GIÀ LAVATO E PULITO. IN UNA CASSERUOLA FATE SOFFRIGGERE LA CIPOLLINA TRITATA CON OLIO E BURRO. VERSATE LE RIGAGLIE E MESCOLATE. CONTINUATE LA COTTURA A FUOCO VIVACE E IRRORATE IL TUTTO CON UN BICCHIERINO DI BRANDY. INSAPORITE QUINDI CON UN PIZZICO DI SALE, UNA SPOLVERATINA DI PEPE E UN MESTOLO DI BRODO BOLLENTE. A FUOCO LENTO, ORA, FATE CUOCERE PER UNA MEZZ'ORETTA. A PARTE AVRETE FATTO GIÀ LESSARE LE LASAGNE, MESSE POI A RAFFREDDARE SU DEI TOVAGLIOLI BAGNATI E STRIZZATI.
APPENA IL SUGO SARÀ PRONTO, IMBURRATE UNA TEGLIA E PREPARATE LA PASTA AL FORNO, DISPONENDO UNO STRATO DI LASAGNE, POI UN PO' DI SUGO DI RIGAGLIE, QUALCHE FETTINA DI TARTUFO E UNA MANCIATINA DI PARMIGIANO GRATTUGIATO. RIPETETE L'OPERAZIONE DISPONENDO ALTRE LASAGNE, POI SUGO E ... COSÌ VIA, FINO AD ESAURIMENTO DEGLI INGREDIENTI. SULLA SUPERFICIE DISPONETE UNO STRATO DI SUGO, QUALCHE FIOCCHETTO DI BURRO E UNA BUONA SPOLVERATA DI PARMIGIANO.

FATE QUINDI GRATINARE IN FORNO PER UNA VENTINA DI MINUTI E SERVITE.

lasagne con lenticchie

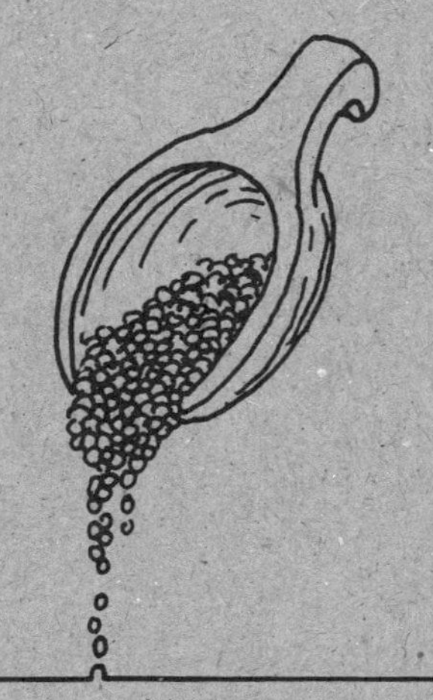

INGREDIENTI PER 6 PERSONE:
600 gr. di semola di grano duro
500 gr. di lenticchie fresche (se invece le avete secche, fatele ammollare per mezza giornata in una bacinella con dell'acqua)
Una presa di peperoncino rosso piccante
2 spicchi d'aglio
80 gr. di burro
Sale - Pepe - Acqua
Pecorino grattugiato

È UNA SPECIALITÀ DELLA LUCANIA DOVE, AL POSTO DELLE LENTICCHIE, VENGONO COMUNEMENTE USATI ANCHE FAGIOLI E CECI. VIVE TUTT'ORA UNA ANTICA USANZA SECONDO LA QUALE, GLI ABITANTI DEI VARI PAESINI PIÙ TRADIZIONALI, PREPARANO, PER LA FESTA DI S. GIUSEPPE (19 MARZO) GRANDI QUANTITÀ DI "LAGANE" PER I POVERI E I BISOGNOSI.
FATE DAPPRIMA LESSARE LE LENTICCHIE IN UNA PENTOLA CON ACQUA SALATA E PEPATA. A PARTE SETACCIATE LA SEMOLA A FONTANA ED UNITEVI SALE E ACQUA QUANTO BASTA PER FORMARE UN IMPASTO MORBIDO E LISCIO. DOPO AVERLO LAVORATO ENERGICAMENTE CON I PALMI DELLE MANI, STENDETELO IN UNA SFOGLIA CON IL MATTARELLO O LA MACCHINETTA. FATELA ASCIUGARE E POI RITAGLIATELA IN STRISCE DELLA MISURA CHE PREFERITE. FATE LESSARE LA PASTA IN ABBONDANTE ACQUA SALATA. IN UN TEGAME IMBIONDITE NEL BURRO, PER POCHI MINUTI, GLI SPICCHI D'AGLIO PESTATI, CHE POI TOGLIERETE, E LA POLVERE DI PEPERONCINO. SCOLATE LE LENTICCHIE E ANCHE LE LASAGNE, VERSANDO IL TUTTO IN UNA TERRINA. UNITE IL CONDIMENTO DI BURRO, SPOLVERIZZATE CON UNA BUONA MANCIATA DI PECORINO GRATTUGIATO E UNA MANCIATINA DI PEPE; QUINDI PORTATE IN TAVOLA.

LASAGNETTE alla lucchese

INGREDIENTI PER 6 PERSONE:
600 gr. di lasagnette
200 gr. di ricotta fresca
400 gr. di spinaci lessati in acqua salata e poi strizzati
Le interiora di un pollo ben pulite
25 gr. di funghi secchi, ammollati in acqua tiepida
100 gr. di burro
1 cucchiaino di cannella in polvere
1 pizzico di noce moscata grattugiata
1 cucchiaino di salsa di pomodoro concentrata
Parmigiano grattugiato - Sale - Pepe

LE LASAGNETTE SONO UN TIPO DI LASAGNE UN PO' PIÙ PICCOLE, CHE PER QUESTA PARTICOLARE RICETTA VENGONO PREPARATE CON STRISCE DI PASTA, CHE ARRIVANO A 3 O 4 cm. DI LARGHEZZA, E PRESENTANO UNO DEGLI ORLI ARRICCIATO. IN QUESTO PIATTO, TIPICAMENTE TOSCANO, SONO ABBINATE AD UN SUGO MOLTO SOSTANZIOSO, COME È LORO "D'OBBLIGO".
IN UNA CASSERUOLA FATE SCIOGLIERE DOLCEMENTE 40 gr. DI BURRO ED UNITE ADESSO: LE INTERIORA DEL POLLO FINEMENTE TRITATE, I FUNGHI AMMOLLATI E STRIZZATI, LA SALSA DI POMODORO CONCENTRATA, IL SALE E IL PEPE. MESCOLATE ED AGGIUNGETE QUALCHE CUCCHIAIATA D'ACQUA CALDA.
IN UNA TERRINA PREPARATE UN MORBIDO COMPOSTO CON GLI SPINACI, TRITATI MOLTO BENE SUL TAGLIERE, E LA RICOTTA FRESCA; MESCOLATE CON UN CUCCHIAIO DI LEGNO. QUANDO L'IMPASTO SARÀ DENSO E CREMOSO, UNITE UN PIZZICO DI NOCE MOSCATA E DI CANNELLA IN POLVERE. GETTATELO NEL CONDIMENTO, FACENDO RAPPRENDERE PER POCHI MINUTI A FUOCO VIVACE E POI CONDITE CON QUESTO SUGO LE LASAGNETTE, COTTE AL DENTE, AGGIUNGENDO IL RIMANENTE BURRO.
PRESENTATELE IN TAVOLA, GENEROSAMENTE COSPARSE DI PARMIGIANO GRATTUGIATO.

INGREDIENTI PER 6 PERSONE:

450 gr. di farina
100 gr. di burro
6 uova
200 gr. di spinaci lessati e tritati
100 gr. di parmigiano grattugiato
Una fetta da 150 gr. di prosciutto cotto
1/2 litro di latte
350 gr. di arrosto di vitello
Una tazza di buon ragù
Noce moscata
Poco olio - Sale - Pepe

TRITATE FINEMENTE L'ARROSTO DI VITELLO ED IL PROSCIUTTO E RACCOGLIETELI IN UNA ZUPPIERA. AGGIUNGETE GLI SPINACI, METÀ DEL PARMIGIANO, UNA GRATTATINA DI NOCE MOSCATA E LEGATE TUTTO CON 2 UOVA.
METTETE IL RIPIENO IN FRIGORIFERO E PREPARATE LA PASTA.

VERSATE 400 gr. DI FARINA SULLA SPIANATOIA, FORMATE LA CONCA, PONETEVI 4 UOVA, DUE PIZZICHI DI SALE ED IMPASTATE.
QUANDO IL PREPARATO SI PRESENTERÀ LISCIO ED ELASTICO, STENDETELO IN UNA SFOGLIA SOTTILE CHE RITAGLIERETE IN QUADRATI DI 10 cm. DI LATO IN UNA CASSERUOLA BOLLITE ABBONDANTE ACQUA, SALATELA, AGGIUNGETE UNA GOCCIA D'OLIO E, PONENDOLI POCHI ALLA VOLTA, CUOCETE PER UN SOLO MINUTO I SEGMENTI DI PASTA.
SCOLATELI UTILIZZANDO LA SCHIUMAROLA ED ADAGIATELI SU DI UNA TOVAGLIA PIEGATA DOPPIA IN MODO CHE POSSANO ASCIUGARE.
TAGLIATE A PEZZETTI 50 gr. DI BURRO MORBIDO, PONETELO IN UNA CASSERUOLA, INCORPORATEVI LA FARINA RIMASTA E DILUITE PIAN PIANO CON IL LATTE GIÀ CALDO.
PORTATE SUL FUOCO E, MESCOLANDO, LASCIATE CUOCERE LA SALSA FINO A QUANDO SARÀ BENE RADDENSATA.

FARCITE LE STRISCE DI PASTA ORAMAI ASCIUTTE CON UN CUCCHIAIO ABBONDANTE DI RIPIENO, ARROTOLATELE E FORMATE I CANNELLONI.
SISTEMATENE UN PRIMO STRATO SUL FONDO DI UNA TEGLIA ACCURATAMENTE IMBURRATA, IRRORATELI CON QUALCHE CUCCHIAIO DI RAGÙ, RICOPRITELI DI BESCIAMELLA E SPOLVERIZZATELI DI PARMIGIANO.
FORMATE QUINDI IL SECONDO STRATO COMPORTANDOVI ESATTAMENTE COME PRIMA, BADANDO A TENERE LA BESCIAMELLA IN SUPERFICIE.
SPOLVERIZZATE ANCORA CON PARMIGIANO, DISTRIBUITE QUA E LÀ QUALCHE FIOCCHETTO DI BURRO E PASSATE IN FORNO ALLA TEMPERATURA DI 200 GRADI PER 15 MINUTI.

Cannelloni ripieni di ricotta e salsicce

INGREDIENTI PER 6 PERSONE:

PER LA PASTA:
250 gr. di farina
2 uova - Sale

PER IL RIPIENO E IL CONDIMENTO:
500 gr. di ricotta fresca
Abbondante parmigiano grattugiato
8 salsicce
Lardo pestato
2 cucchiaiate di salsa di pomodoro concentrata
Qualche foglia di basilico tritata
1/2 spicchio d'aglio tritato
2 foglie d'alloro
2 uova
Burro - Sale - Pepe

SETACCIATE LA FARINA A FONTANA SULLA SPIANATOIA DI LEGNO E AL CENTRO DI ESSA ROMPETE LE UOVA INTERE. CON UN PO' DI SALE E ACQUA, COMINCIATE A LAVORARE CON LE DITA PER AMALGAMARE I COMPONENTI. IMPASTATE CON FORZA LA PASTA PER 10 MINUTI FINO A QUANDO SARÀ ELASTICA E SODA; FORMATE QUINDI UNA PALLA CHE AVVOLTA IN UN PANNO INFARINATO, FARETE RIPOSARE.

IN UNA TERRINA SBRICIOLATE FINEMENTE LA RICOTTA, AGGIUNGETE LE DUE UOVA SBATTUTE, UN PO' DI SALE ED UNA BUONA MANCIATA DI PARMIGIANO GRATTUGIATO. MESCOLATE IL TUTTO CON UN CUCCHIAIO DI LEGNO.

IN UN TEGAME SENZA ALCUN CONDIMENTO METTETE LE SALSICCE CON UN PO' D'ACQUA CALDA E FATELE CUOCERE FINO A CHE L'AVRANNO ASSORBITA COMPLETAMENTE. DOPO DI CHE SPELLETTATELE, TRITATELE ED UNITELE AL COMPOSTO DI RICOTTA. ORA, IN UNA CASSERUOLA CON UN PO' DI LARDO PESTATO ED UNO SPICCHIO D'AGLIO TRITATO, PREPARATE UN SUGO CON LA SALSA DI POMODORO CONCENTRATA CHE AVRETE DILUITO IN UN MESTOLO DI ACQUA. UNITE IL BASILICO, IL SALE E IL PEPE, LE FOGLIE DI ALLORO (CHE POI TOGLIERETE). CON IL MATTARELLO STENDETE LA PASTA IN QUADRATI DI CIRCA 8 cm. DI LATO E DI SPESSORE SOTTILE.

LA PASTA VERRÀ QUINDI LESSATA IN UNA PENTOLA BASSA E LARGA CON ACQUA SALATA. MAN MANO CHE I QUADRATI DI PASTA VENGONO A GALLA, RITIRATELI, SCOLATELI E FATELI ASCIUGARE SU UNA TOVAGLIETTA INUMIDITA. AL CENTRO DI OGNI QUADRATO DI PASTA DISPONETE UN PO' DI RIPIENO DI RICOTTA E SALSICCE, BEN AMALGAMATO E ARROTOLATE LA PASTA SU SE STESSA.

IN UNA PIROFILA IMBURRATA ABBONDANTEMENTE DISPONETE IN UN SOLO STRATO I CANNELLONI, SU CUI VERSERETE IL SUGO DI POMODORO PREPARATO, UNA GROSSA MANCIATA DI PARMIGIANO E QUALCHE FIOCCHETTO DI BURRO.

METTETE IN FORNO A GRATINARE PER 10 MINUTI E SERVITE APPENA SFORNATO.

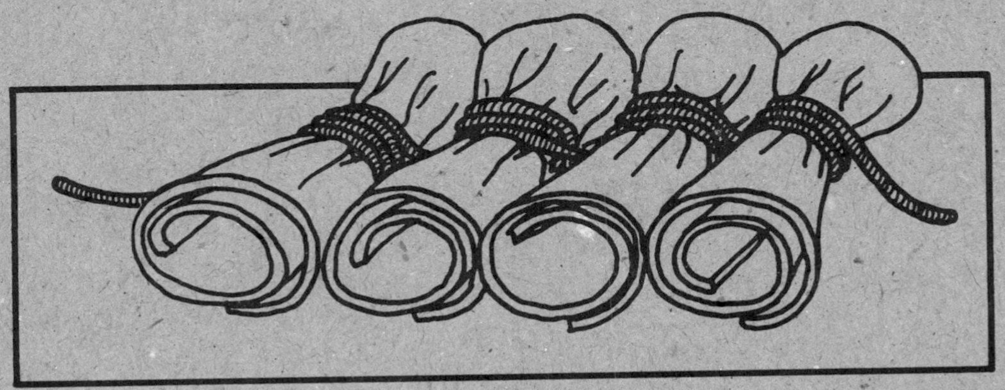

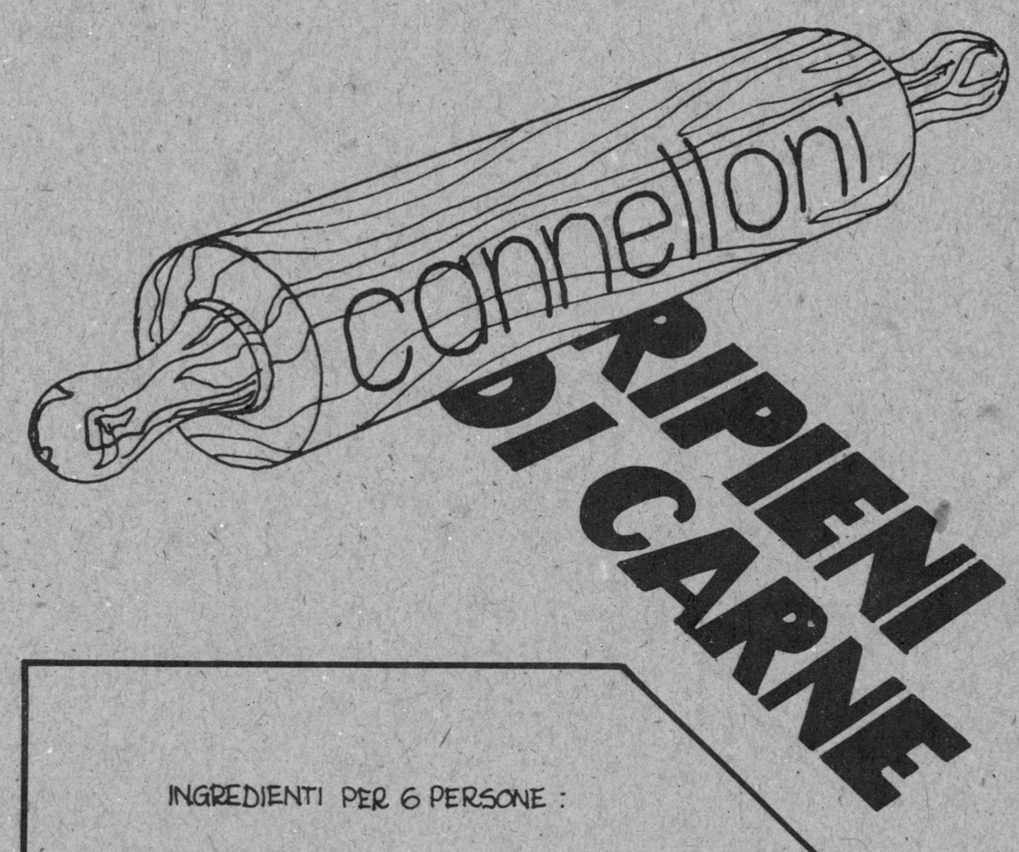

INGREDIENTI PER 6 PERSONE:

PER LA PASTA:
400 gr. di farina - 3 uova

PER IL RIPIENO E IL CONDIMENTO:
900 gr. di carne magra di manzo tritata
Una buona manciatina di funghi porcini essicati
60 gr. di burro
Un trito ottenuto con: una cipolletta, una gamba di sedano, un ciuffo di prezzemolo ed uno di basilico
2 cucchiai di salsa di pomodoro concentrata
Abbondante parmigiano grattugiato
1/2 bicchiere di vino Marsala
1 piccolissimo tartufo affettato sottilmente
1 uovo intero
Sale - Pepe

CON LA FARINA SETACCIATA A FONTANA SULLA SPIANATOIA E LE 3 UOVA PREPARATE UN IMPASTO PIUTTOSTO ELASTICO.
STENDETE LA SFOGLIA (CON IL MATTARELLO OPPURE CON LA MACCHINETTA E RITAGLIATE TANTI QUADRATI DI CIRCA 8 cm. DI LATO.

IN UNA CASSERUOLA FATE IMBIONDIRE NEL BURRO TUTTE LE VERDURE TRITATE. QUINDI UNITE AD ESSE I FUNGHI, FATTI AMMOLLARE IN ACQUA FREDDA, E LA CARNE MACINATA FINEMENTE. SALATE, PEPATE, E AGGIUNGETE IL MARSALA. QUANDO QUESTO SARÀ EVAPORATO, VERSATE LA SALSA DI POMODORO CONCENTRATA, DILUITA IN UN MESTOLO D'ACQUA CALDA.
A FUOCO BASSO E A PENTOLA COPERTA FATE CONTINUARE LA COTTURA PER UNA BUONA ORETTA. APPENA IL SUGO AVRÀ RAGGIUNTO UN BEL COLORE BRUNITO, TOGLIETENE UNA PARTE DALLA CASSERUOLA. LA PARTE DI CARNE E FUNGHI CHE RIMANE (CIRCA 200 gr.) SERVIRÀ COME RAGÙ; L'ALTRA PARTE, BEN SCOLATA DELL'UNTO, SERVIRÀ COME RIPIENO.
AL RAGÙ AGGIUNGETE, COME SE NON FOSSE GIÀ ABBASTANZA SUCCULENTO, LE FETTINE DI TARTUFO E DATE L'ULTIMO BOLLORE. LA CARNE E I FUNGHI SCOLATI VERSATELI INVECE IN UNA TERRINA E MESCOLATELI CON UN UOVO SBATTUTO ED UNA BUONA MANCIATA DI PARMIGIANO GRATTUGIATO.

ORA FATE LESSARE LA PASTA IN UNA PENTOLA BASSA E LARGA, CON ACQUA SALATA. MAN MANO CHE I QUADRATI DI PASTA VENGONO A GALLA, RITIRATELI E SCOLATELI CON UN MESTOLO FORATO. FATELI POI ASCIUGARE STESI SU DI UNA TOVAGLIETTA INUMIDITA.

AL CENTRO DI OGNI CANNELLONE DISPONETE UN PO' DI RIPIENO ED ARROTOLATELO SU SÈ STESSO. IN UNA LARGA PIROFILA IMBURRATA FORMATE UN UNICO STRATO DI CANNELLONI.

CONDITE CON LO SQUISITO RAGÙ E UNO STRATO DI PARMIGIANO GRATTUGIATO.

INFORNATE PER 10 MINUTI A CALORE MODERATO E PORTATE A TAVOLA.

LASAGNETTE ALLA CREMA DI SPINACI

INGREDIENTI PER 4 PERSONE:

400 gr. di lasagnette fresche
1 Kg. di spinaci
Sale - Pepe
3 tuorli d'uovo
300 gr. di ricotta
Parmigiano grattugiato
50 gr. di farina
1/2 litro di latte - Burro
Un pizzico di noce moscata gratt.
6 sottilette oppure 6 fettine di altro formaggio dolce

LAVATE MOLTO BENE SOTTO L'ACQUA CORRENTE GLI SPINACI E FATELI LESSARE IN POCHISSIMA ACQUA MOLTO SALATA. SCOLATELI, STRIZZATELI E TRITATELI CON LA MEZZALUNA SUL TAGLIERE. PASSATE QUESTO TRITO AL SETACCIO E RACCOGLIETELO IN UNA TERRINA INSIEME AI TRE TUORLI D'UOVO, LA RICOTTA SBRICIOLATA FINEMENTE, SALE E PEPE, UNA BUONA MANCIATA DI PARMIGIANO GRATTUGIATO E UN PIZZICO DI NOCE MOSCATA GRATTUGIATA. MESCOLATE RIPETUTAMENTE CON UN CUCCHIAIO DI LEGNO FINO AD OTTENERE UN COMPOSTO SPUMOSO. PREPARATE ORA LA SALSA BESCIAMELLA FACENDO SCIOGLIERE 30 gr. DI BURRO IN UNA CASSERUOLA. A FUOCO MOLTO BASSO STEMPERATEVI LA FARINA, POCO PER VOLTA, E POI DILUITE IL TUTTO CON IL LATTE, EVITANDO CHE SI FORMINO GRUMI. SALATELA E PEPATELA. QUINDI TENETELA IN CALDO A BAGNOMARIA.
FATE LESSARE IN ABBONDANTE ACQUA SALATA LE LASAGNETTE MOLTO AL DENTE. SCOLATELE E DISPONETENE UN PRIMO STRATO SUL FONDO DI UNA PIROFILA IMBURRATA. VERSATEVI SOPRA UNO STRATO DI CREMA DI SPINACI E POI ANCORA UNO DI BESCIAMELLA, UNO DI LASAGNETTE E ... COSÌ DI SEGUITO, FINO IN SUPERFICIE, DOVE DISPORRETE BESCIAMELLA E SOTTILETTE. ORA A FORNO CALDO, FATE GRATINARE QUESTO PRESTIGIOSO PIATTO PER UNA QUINDICINA DI MINUTI. SERVITELO CALDISSIMO.

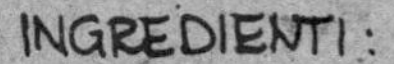

INGREDIENTI:

400 gr. di farina bianca
250 gr. di polpa di manzo brasato al vino rosso
200 gr. di arrosto di maiale
100 gr. di salsiccia a metro
100 gr. di lattuga
150 gr. di burro
10 cucchiai di parmigiano grattugiato
5 uova freschissime
Qualche fogliolina di salvia
Un po' di farina bianca per la spianatoia
Sale - Pepe - Noce moscata

AGNOLOTTI

MONDATE E LAVATE CON CURA LA LATTUGA, POI LESSATELA IN ACQUA SALATA. UNA VOLTA TENERA, SCOLATELA E STRIZZATELA BENE, QUINDI INSAPORITELA IN 20 gr. DI BURRO SCIOLTO IN PADELLA INSIEME ALLA SALSICCIA SBRICIOLATA. TRITATE FINEMENTE LA CARNE BRASATA E L'ARROSTO DI MAIALE, UNITELI AL COMPOSTO DI SALSICCIA E LATTUGA, INDI METTETE IL RICAVATO IN UNA CIOTOLA. "LEGATE" CON 3 UOVA INTERE E 6 CUCCHIAIATE COLME DI PARMIGIANO, POI SALATE, PEPATE ED AGGIUNGETE UN PIZZICO DI NOCE MOSCATA. CON LE RESTANTI 2 UOVA, LA FARINA BIANCA E 1/2 BICCHIERE DI ACQUA TIEPIDA, PREPARATE UNA PASTA, LISCIA ED OMOGENEA, CHE AVVOLGERETE IN UN TOVAGLIOLO E LASCIERETE RIPOSARE PER MEZZ'ORA. STENDETENE POI, MOLTO SOTTILMENTE, LA METÀ SULLA SPIANATOIA LEGGERMENTE INFARINATA E DEPONETEVI SOPRA IL RIPIENO A MUCCHIETTI REGOLARMENTE DISTANZIATI; COPRITE IL TUTTO CON LA RESTANTE PASTA, STESA ALTRETTANTO SOTTILMENTE, PREMETELA ATTORNO AL RIPIENO, POI RITAGLIATE GLI AGNOLOTTI CON LA ROTELLINA DENTATA, OTTENENDO DEI QUADRATI REGOLARI DI CIRCA 4 cm. DI LATO.
UNA VOLTA PRONTI, LESSATELI IN ABBONDANTE ACQUA SALATA, A BOLLORE, POI SOLLEVATELI DELICATAMENTE CON UN MESTOLO FORATO E DEPONETELI NELLA ZUPPIERA; CONDITELI CON IL RIMANENTE BURRO, LEGGERMENTE SOFFRITTO CON LE FOGLIOLINE DI SALVIA E IL RESTANTE PARMIGIANO GRATTUGIATO.

PANSOTTI LIGURI ALLE ERBE

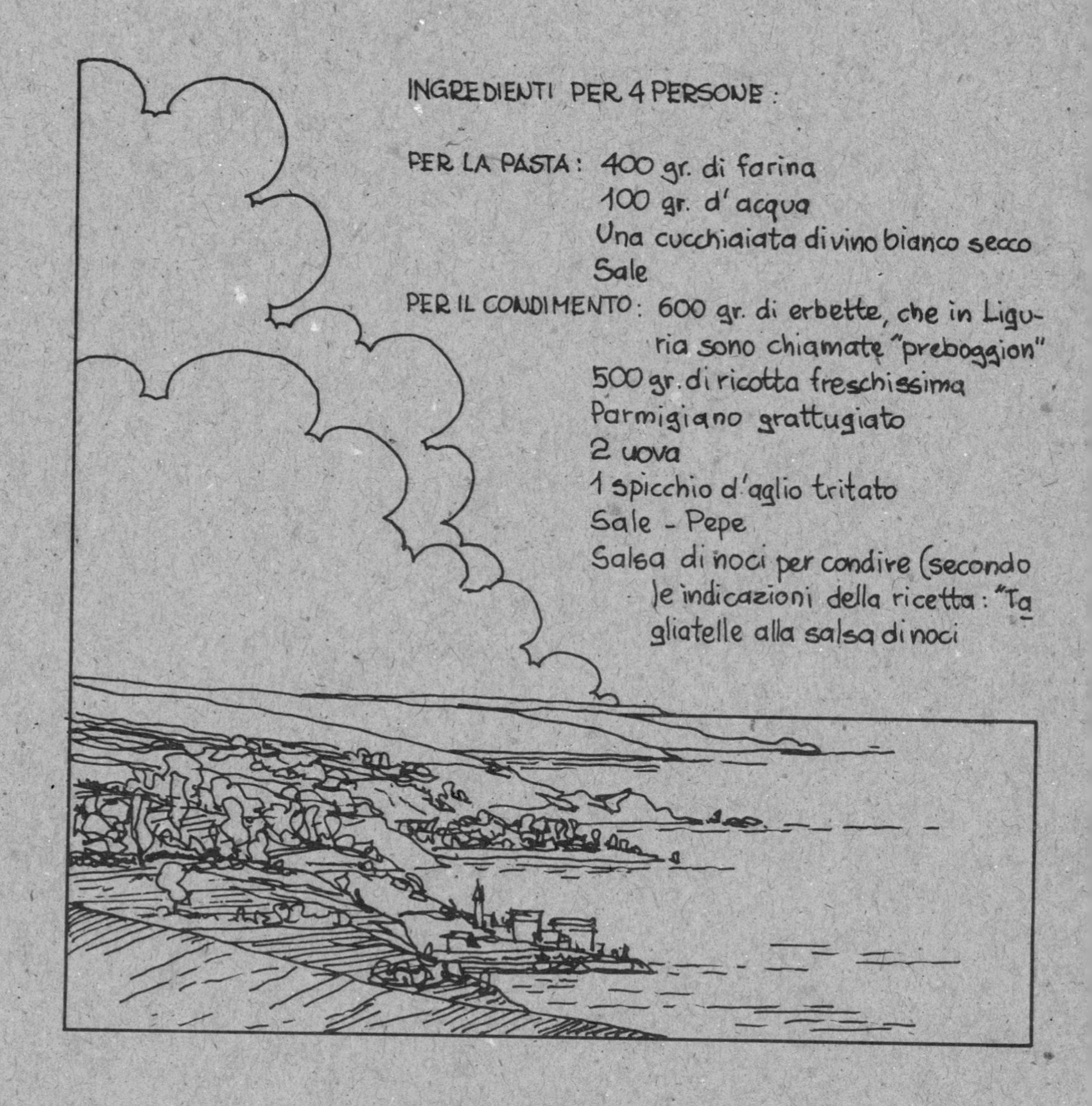

INGREDIENTI PER 4 PERSONE:

PER LA PASTA: 400 gr. di farina
100 gr. d'acqua
Una cucchiaiata di vino bianco secco
Sale

PER IL CONDIMENTO: 600 gr. di erbette, che in Liguria sono chiamate "preboggion"
500 gr. di ricotta freschissima
Parmigiano grattugiato
2 uova
1 spicchio d'aglio tritato
Sale - Pepe
Salsa di noci per condire (secondo le indicazioni della ricetta: "Tagliatelle alla salsa di noci

I PANSOTTI LIGURI, IL CUI NOME SIGNIFICA PANCIUTI, SONO CONSUMATI IN TUTTA LA REGIONE, MA SOPRATUTTO NELLA ZONA DI RECCO, DA CUI TRAGGONO LA LORO ORIGINE. LA LORO CARATTERISTICA È L'USO, NEL RIPIENO, DEL "PREBOGGION", UN MAZZETTO DI ERBE COMMESTIBILI NATE SPONTANEAMENTE, QUALI IL RADICCHIO SELVATICO, LA BORAGINE, UN CERTO TIPO DI VERZA CHIAMATA "GAGGIA", IL CERFOGLIO E TANTE ALTRE, CHE VIENE VENDUTO IN TUTTI I MERCATI DELLE CITTÀ E CITTADINE LIGURI.

LAVATE IL PREBOGGION E FATELO LESSARE IN ACQUA SALATA. POI SCOLATE LE ERBE, STRIZZATELE, PASSATELE NEL TRITATUTTO E RACCOGLIETELE IN UNA TERRINA. AL COMPOSTO UNITE UNA BUONA MANCIATA DI PARMIGIANO GRATTUGIATO, LA RICOTTA SBRICIOLATA, SALE, PEPE, L'AGLIO TRITATO E LE DUE UOVA INTERE. AMALGAMATE IL TUTTO, MESCOLANDO GLI INGREDIENTI CON UN CUCCHIAIO DI LEGNO. PREPARATE ORA UN IMPASTO LISCIO ED ELASTICO CON LA FARINA, L'ACQUA, IL VINO BIANCO E UN PO' DI SALE. STENDETELO IN UNA SFOGLIA SOTTILE CHE RITAGLIERETE IN TANTI TRIANGOLI. DISPONETE AL CENTRO DI OGNUNO DI QUESTI UN MUCCHIETTO DI RIPIENO E RIPIEGATE I TRIANGOLI SU SE STESSI. LESSATE I PANSOTTI IN ACQUA SALATA E CONDITELI CON LA SALSA DI NOCI.

SERVITELI ACCOMPAGNANDO A PARMIGIANO GRATTUGIATO.

INGREDIENTI:

PER LA PASTA: 500 gr. di farina bianca - 125 gr. di acqua - vino bianco secco - Sale

PER IL RIPIENO: 350 gr. di erbette - 350 gr. di borragine - 500 gr. di preboggion (misto di erbette, verza precoce, cerfoglio, boraggine) - 150 gr. di ricotta - 40 gr. di grana grattugiato - 2 uova - 1 spicchio d'aglio - Sale

PER LA SALSA DI NOCI: 500 gr. di noci - 25 gr. di mollica di pane - 30 gr. di ricotta - 20 gr. di grana grattugiato - 20 gr. di pinoli - Latte - Olio d'oliva - 5 gr. di maggiorana - Aglio - Sale

PER IL PRIMO CONDIMENTO: 20 gr. di parmigiano - 20 gr. di burro

PREPARATE LA SALSA ROMPENDO LE NOCI, SBOLLENTANDO I GHERIGLI E TOGLIENDO LA PELLICINA. AMMOLLATE LA MOLLICA DI PANE IN POCO LATTE, STRIZZATELA UN PO' E METTETELA NEL MORTAIO. UNITE GRADUALMENTE I GHERIGLI E PESTATE, AGGIUNGENDO, A MANO A MANO, MEZZO SPICCHIO D'AGLIO, I PINOLI E IL SALE. QUANDO L'IMPASTO SARÀ OMOGENEO, TRASFERITELO IN UNA TERRINA. AGGIUNGETE LA RICOTTA, LA MAGGIORANA, IL GRANA E 3 CUCCHIAI DI OLIO. METTETELA AL FRESCO. PER IL RIPIENO, PULITE E LAVATE TUTTE LE ERBE, LESSATELE IN POCA ACQUA, SCOLATELE, TRITATELE FINEMENTE E METTETELE IN UNA TERRINA. TRITATE L'AGLIO, AGGIUNGETELO ALLE VERDURE CON LE UOVA, LA RICOTTA, IL FORMAGGIO GRATTUGIATO E IL SALE. MESCOLATE FINCHÈ L'IMPASTO RISULTERÀ OMOGENEO. PER LA PASTA: IMPASTATE LA FARINA CON L'ACQUA, 2 CUCCHIAI DI VINO BIANCO E UNA PUNTA DI SALE. TIRATE LA SFOGLIA E RICAVATENE DELLE STRISCE, DA CUI RITAGLIERETE DEI TRIANGOLI DI 3 cm. DI LATO. DISPONETE SU CIASCUNO UNA NOCE DI RIPIENO, PIEGATE IL TRIANGOLO SU SE STESSO E CHIUDETE I DUE LATI APERTI. LESSATE I PANSOTTI IN ABBONDANTE ACQUA SALATA. SCOLATELI DELICATAMENTE E METTETELI IN UNA TERRINA PRERISCALDATA. CONDITELI PRIMA CON IL GRANA E IL BURRO E POI CON LA SALSA DI NOCI.

(RAVIOLI BRESCIANI)

INGREDIENTI PER 4 PERSONE:

PER LA PASTA: 300 gr. di farina bianca - 3 uova - Sale

PER IL RIPIENO E IL CONDIMENTO: 300 gr. di salsiccia - Abbondante parmigiano grattugiato - 50 gr. di mollica di pane - 2 uova sbattute - Latte per ammorbidire la mollica - Burro fuso - Sale - Pepe

QUESTI "CASÔNSÈI" SONO DEI RAVIOLI TIPICI DELLA GASTRONOMIA RUSTICA BRESCIANA ED HANNO UNA LUNGA TRADIZIONE POPOLARE. OGGI SONO MOLTO APPREZZATI E, NEI PRANZI NUZIALI E IN TUTTE LE FESTIVITÀ IMPORTANTI, RAPPRESENTANO IL PIATTO CENTRALE.
PER QUANTO RIGUARDA IL RIPIENO ESISTONO MOLTE VARIANTI, QUELLO PIÙ COMUNE È FORMATO CON: VERZE O SPINACI FATTI FRIGGERE NEL BURRO E LARDO, UOVA, PANE GRATTUGIATO, SALE, PEPE, FORMAGGIO. PER PRIMA COSA FATE AMMORBIDIRE NEL LATTE LA MOLLICA DI PANE E STRIZZATELA BENE. VERSATELA IN UNA TERRINA INSIEME ALLA SALSICCIA SBRICIOLATA, A DUE BUONE MANCIATE DI PARMIGIANO GRATTUGIATO, E ALLE DUE UOVA SBATTUTE. MESCOLATE CON UN CUCCHIAIO DI LEGNO E FORMATE UN COMPOSTO OMOGENEO.
CON LA FARINA, LE UOVA E IL SALE, PREPARATE IL SOLITO PANETTO DI PASTA CHE STENDERETE IN UNA SFOGLIA MOLTO MORBIDA E SOTTILE, DA RITAGLIARE IN TANTI RETTANGOLI CON LATI DI CIRCA 8 x 14 cm. DISPONETE AL CENTRO DI OGNUNO UN POCO DI RIPIENO E RIPIEGATE LA PASTA SUI LATI PIÙ LUNGHI. PREMETE PER "SIGILLARE" IL RIPIENO E PER FAR USCIRE L'ARIA E POI PIEGATE I DUE LEMBI VUOTI LATERALI, DANDO LA FORMA DI UNA SPECIE DI CALZONCINO.
LESSATELI IN ABBONDANTE ACQUA SALATA E SCOLATELI AL DENTE.
QUINDI SERVITELI COSPARSI DI BURRO FUSO, PARMIGIANO E PEPE MACINATO.

RAVIOLI DEL "BARBA JUAN"

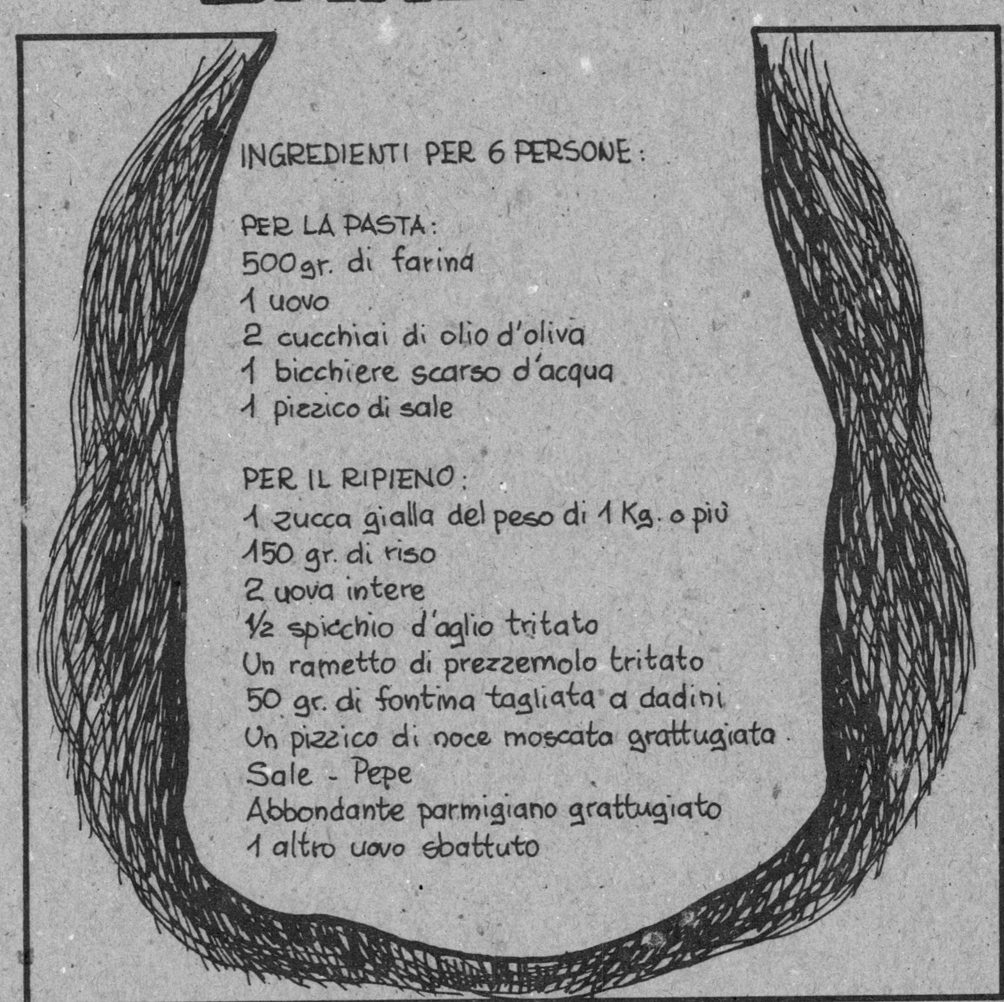

INGREDIENTI PER 6 PERSONE:

PER LA PASTA:
500 gr. di farina
1 uovo
2 cucchiai di olio d'oliva
1 bicchiere scarso d'acqua
1 pizzico di sale

PER IL RIPIENO:
1 zucca gialla del peso di 1 Kg. o più
150 gr. di riso
2 uova intere
1/2 spicchio d'aglio tritato
Un rametto di prezzemolo tritato
50 gr. di fontina tagliata a dadini
Un pizzico di noce moscata grattugiata
Sale - Pepe
Abbondante parmigiano grattugiato
1 altro uovo sbattuto

QUESTO PIATTO PROVIENE DA UN'ANTICA TRADIZIONE AGRESTE, TIPICA DELLA GASTRONOMIA PIEMONTESE, PRECISAMENTE DELLA PROVINCIA DI NOVARA.

SETACCIATE SULLA SPIANATOIA LA FARINA, DISPONENDOLA A FONTANA. INSERITEVI L'UOVO, L'OLIO, IL SALE E L'ACQUA. AMALGAMATE DOLCEMENTE TUTTI GLI INGREDIENTI E POI IMPASTATE CON FORZA PER OTTENERE UNA PALLA LISCIA ED ELASTICA. FATELA RIPOSARE AVVOLTA IN UN PANNO INFARINATO PER UNA DECINA DI MINUTI.
IN UN TEGAME CON POCA ACQUA, FATE CUOCERE LA ZUCCA CHE AVRETE SBUCCIATO E TAGLIATO A PEZZI. SALATE, PEPATE E CONTINUATE LA COTTURA A FUOCO BASSO, IN MODO CHE POSSA ASSORBIRE TUTTA L'ACQUA. DOVRÀ RISULTARE ASCIUTTA. FATE LESSARE ANCHE IL RISO IN ACQUA SALATA E SCOLATELO AL DENTE.
IN UNA LARGA TERRINA MESCOLATE LA ZUCCA, IL RISO BOLLITO, LA FONTINA A DADINI, UN PUGNO DI PARMIGIANO GRATTUGIATO, L'AGLIO TRITATO, LE UOVA SBATTUTE, IL SALE, IL PEPE, IL PREZZEMOLO E IL PIZZICO DI NOCE MOSCATA.
TIRATE LA PASTA IN UNA SFOGLIA SOTTILE CHE RITAGLIERETE IN STRISCE DI CIRCA 7 cm. DI LARGHEZZA. DISPONETE SOPRA AD OGNUNA DEI MUCCHIETTINI DI RIPIENO DI ZUCCA A DISTANZA REGOLARE, RIPIEGATE I LEMBI DELLA PASTA, PREMETE CON LE DITA PER FARE USCIRE TUTTA L'ARIA E FINALMENTE RITAGLIATE DEI GROSSI RAVIOLI CON LA ROTELLINA.
FATELI BOLLIRE IN ACQUA SALATA E SCOLATELI AL DENTE.
ORA VIENE LA PARTE PROPRIO INUSUALE E CARATTERISTICA DI QUESTA RICETTA, PERCHÈ INFATTI, I RAVIOLI NON VENGONO PRESENTATI CON UN CONDIMENTO, MA DISPOSTI IN UNA PIROFILA IMBURRATA E SPENNELLATI CON DELL'UOVO SBATTUTO.
SULLA SUPERFICIE DISTRIBUITE UNO STRATO DI PARMIGIANO GRATTUGIATO E UNA MANCIATINA DI PEPE. QUINDI FATE GRATINARE PER 15 MINUTI E POI SERVITE.

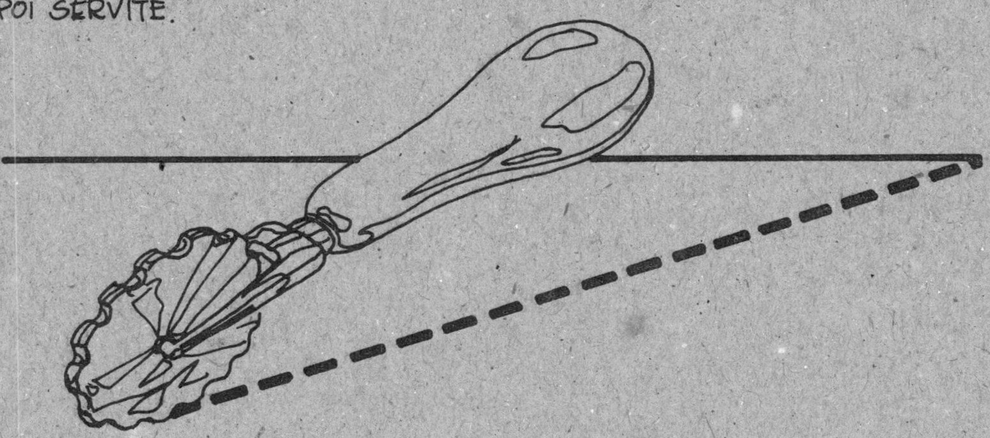

RAVIOLI di melanzane

INGREDIENTI PER 4 PERSONE:

PASTA:
400 gr. di farina
4 uova
1 busta di zafferano
Sale

RIPIENO:
250 gr. di melanzane polpose
300 gr. di ricotta freschissima
Un trito di basilico, salvia e prezzemolo
100 gr. di gherigli di noci triturati
Pecorino piccante grattugiato
3 uova intere
Sale - Pepe
Olio - Burro

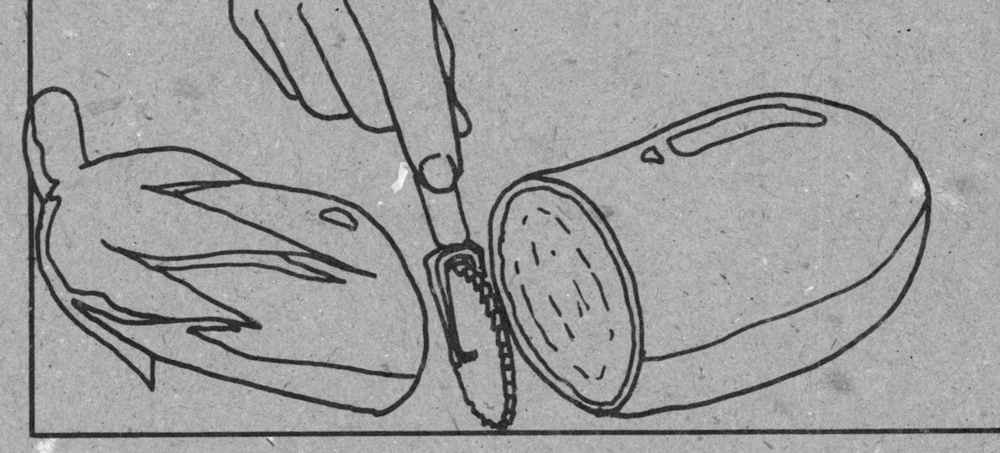

È UN ANTICO PIATTO DI TRADIZIONE SARDA.

PER PRIMA COSA SBUCCIATE LE MELANZANE, POI AFFETTATELE SOTTILMENTE E, COSPARSE DI SALE, METTETE IN UN PIATTO INCLINATO, IN MODO CHE PERDANO LA LORO ACQUA AMAROGNOLA.
SETACCIATE LA FARINA A FONTANA E DISPONETE AL CENTRO LE UOVA, IL SALE E UN POCO D'ACQUA IN CUI AVRETE SCIOLTO LO ZAFFERANO. LAVORATE CON LE DITA PER AMALGAMARE TUTTI GLI INGREDIENTI E POI FORMATE, ENERGICAMENTE, UN IMPASTO OMOGENEO ED ELASTICO CHE TIRERETE IN UNA SFOGLIA SOTTILE.
RITAGLIATE DELLE STRISCE DI CIRCA 8 cm. DI LARGHEZZA E FATELE RIPOSARE, INFARINATE, PER UNA DECINA DI MINUTI.
PREPARATE IL RIPIENO: LAVATE SOTTO L'ACQUA CORRENTE LE FETTE DI MELANZANE E TAGLIATELE A DADINI.
IN UN TEGAME CON L'OLIO FRIGGETELE E FATELE QUINDI ASCIUGARE SU UNA CARTA ASSORBENTE. IN UNA TERRINA MESCOLATE LE MELANZANE CON IL TRITO DI NOCI, IL TRITO DI ERBE AROMATICHE, LE UOVA SBATTUTE, LA RICOTTA SBRICIOLATA, UNA MANCIATINA DI PECORINO, SALE E PEPE.
DISPONETE TANTE PALLINE DI RIPIENO SULLE STRISCE DI SFOGLIA E RIPIEGATELE, PREMENDO I BORDI CON LE DITA PER FAR USCIRE L'ARIA.
CON LA ROTELLINA DENTELLATA FORMATE I RAVIOLI CHE FARETE ASCIUGARE PER UN'ORETTA, COSPARSI BENE DI FARINA.
CUOCETELI AL DENTE IN ABBONDANTE ACQUA SALATA E SCOLATELI.
IN UNA PIROFILA IMBURRATA DISPONETELI A STRATI CON BURRO FUSO E ABBONDANTE PECORINO GRATTUGIATO. IN SUPERFICIE DISTRIBUITE UNA SPOLVERATINA DI PEPE MACINATO AL MOMENTO E METTETE IN FORNO A STUFARE PER UN QUARTO D'ORA. SERVITE CALDISSIMO.

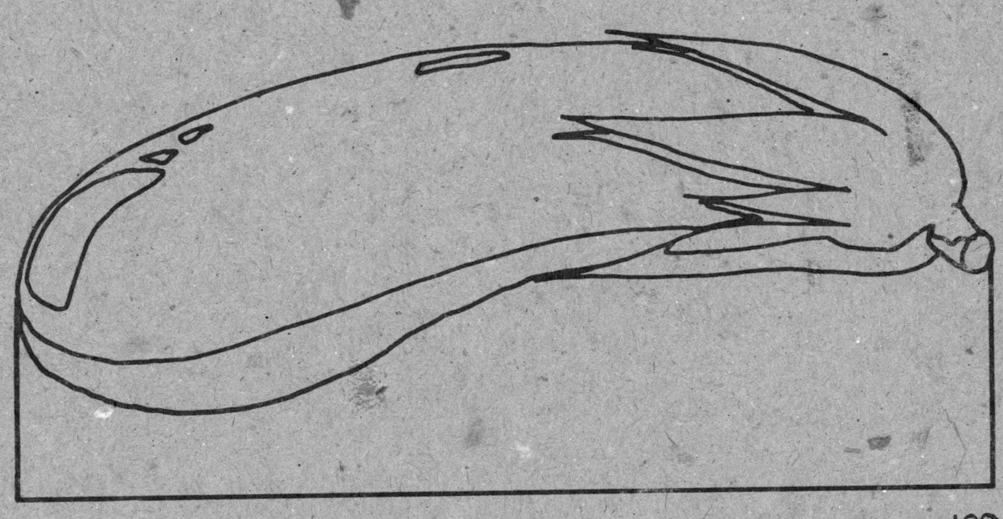

ravioli magri di ricotta

INGREDIENTI PER 4 PERSONE:

PER LA PASTA:
- 400 gr. di farina bianca
- 1 uovo
- Acqua per impastare
- Sale

PER IL RIPIENO E IL CONDIMENTO:
- 350 gr. di pesce di modesto pregio lessato
- 350 gr. di spinaci
- Un'abbondante manciata di parmigiano grattugiato
- 3 uova intere
- 150 gr. di ricotta freschissima
- Parmigiano grattugiato
- Burro fuso
- Sale - Pepe

FATE LESSARE GLI SPINACI, PULITI E LAVATI, IN ACQUA SALATA BOLLENTE. POI STRIZZATELI E TRITATELI FINEMENTE. ALLO STESSO MODO PROCEDETE CON IL PESCE CHE AVETE SCELTO; DOPO AVERLO PULITO E PRIVATO DELLE INTERIORA, DELLA TESTA E DELLA CODA, LESSATELO IN ACQUA SALATA. UNA VOLTA SCOLATO, TRITATELO ANCH'ESSO MOLTO FINEMENTE. IN UNA TERRINA PREPARATE UN MORBIDO COMPOSTO CON IL PESCE LESSO, GLI SPINACI, LE TRE UOVA INTERE, LA RICOTTA SBRICIOLATA, SALE E PEPE.
FATE RIPOSARE IL RIPIENO E PENSATE ALLA PREPARAZIONE DEI RAVIOLI. DISPONETE LA FARINA SETACCIATA A FONTANA, PONENDO AL CENTRO L'UOVO, L'ACQUA E IL SALE. LAVORATE CON LE DITA, AGGIUNGENDO ALTRA ACQUA SE NECESSARIO, PER OTTENERE UN IMPASTO ELASTICO E SODO.

TIRATE LA SFOGLIA SULL'ASSE DI LEGNO CON IL MATTARELLO OPPURE USATE LA MACCHINETTA, E RITAGLIATE DELLE STRISCE.
DISTRIBUITE IL RIPIENO IN TANTE PALLINE MODELLATE CON LE DITA, A DISTANZA REGOLARE SULLA SFOGLIA. SOVRAPPONETE ALTRE STRISCE DI PASTA E PREMETE I BORDI PER FAR USCIRE TUTTA L'ARIA. QUINDI, CON LA ROTELLINA DENTELLATA TAGLIATE I RAVIOLI IN FORMA QUADRANGOLARE (OPPURE ROTONDI, O A MEZZALUNA ... COME DESIDERATE. IN COMMERCIO, COME SAPETE, È POSSIBILE TROVARE DELLE VASCHETTE, CON IMPRESSI DEI QUADRATI, CHE PERMETTONO DI OTTENERE CON ESTREMA FACILITÀ DUE O TRE DOZZINE DI RAVIOLI ALLA VOLTA).

FATELI CUOCERE IN ACQUA SALATA E, SCOLATELI AL DENTE, PRESENTATELI CONDITI CON BURRO FUSO, ABBONDANTE PARMIGIANO E UNA SPOLVERATA DI PEPE MACINATO AL MOMENTO.

TORTELLI DI MAGRO

INGREDIENTI PER 4 PERSONE:

PER LA PASTA: 350 gr. di farina - 2 uova - Poca acqua - Sale

PER IL RIPIENO: 200 gr. di ricotta - 1 uovo intero - 1 tuorlo - Un ciuffo di prezzemolo - 50 gr. di parmigiano grattugiato - Noce moscata

PER CONDIRE: 60 gr. di burro - 2 o 3 foglioline di salvia

VERSATE LA FARINA SULLA SPIANATOIA, FORMATE LA FONTANA E ROMPETEVI AL CENTRO LE DUE UOVA. SALATE LEGGERMENTE ED IMPASTATE AGGIUNGENDO QUALCHE CUCCHIAIO D'ACQUA PER RENDERE IL PREPARATO PIUTTOSTO ELASTICO. LAVORATE QUINDI A LUNGO CON LE MANI IN MODO DA OTTENERE UN COMPOSTO LISCIO E OMOGENEO. AVVOLGETE LA PASTA IN UN FOGLIO DI CARTA OLEATA E METTETELA SUL RIPIANO PIÙ BASSO DEL FRIGORIFERO A RIPOSARE.
SETACCIATE LA RICOTTA, RACCOGLIETELA IN UNA ZUPPIERA, UNITE L'UOVO INTERO, IL TUORLO, IL PARMIGIANO, UN PIZZICO DI SALE, IL PREZZEMOLO LAVATO E TRITATO FINEMENTE E PROFUMATE CON UNA GRATTATINA DI NOCE MOSCATA. MESCOLATE CON UN CUCCHIAIO DI LEGNO AMALGAMANDO BENE.
STENDETE LA PASTA IN UNA SFOGLIA SOTTILE CON L'IMBOCCATURA INFARINATA DI UN BICCHIERE (5 cm. DI DIAMETRO), RICAVATENE TANTI DISCHETTI CHE FARCIRETE CON UN BEL CUCCHIAIO DI COMPOSTO ALLA RICOTTA. RIPIEGATE LA PASTA FORMANDO DELLE MEZZELUNE E PREMETE BENE LUNGO I BORDI IN MODO CHE IL RIPIENO NON POSSA FUORIUSCIRE. IN UNA CAPIENTE CASSERUOLA PORTATE A BOLLORE ABBONDANTE ACQUA, SALATELA E CUOCETEVI I RAVIOLI. A COTTURA ULTIMATA (8 MINUTI CIRCA), SCOLATELI ACCURATAMENTE, METTETELI IN UNA ZUPPIERA E CONDITELI CON BURRO FUSO E SALVIA. SERVITELI CALDI BEN COSPARSI DI PARMIGIANO GRATTUGIATO.

TORTELLI alle castagne

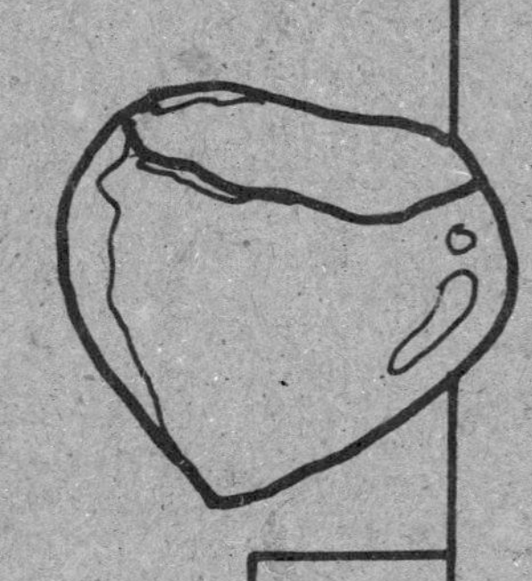

INGREDIENTI PER 6 PERSONE:

700 gr. di castagne - 200 gr. di farina bianca - 40 gr. di parmigiano grattugiato - 15 dl. di latte - 3 uova - Un pizzico di cannella - Olio di oliva - 1/4 di panna - 50 gr. di burro - Sale

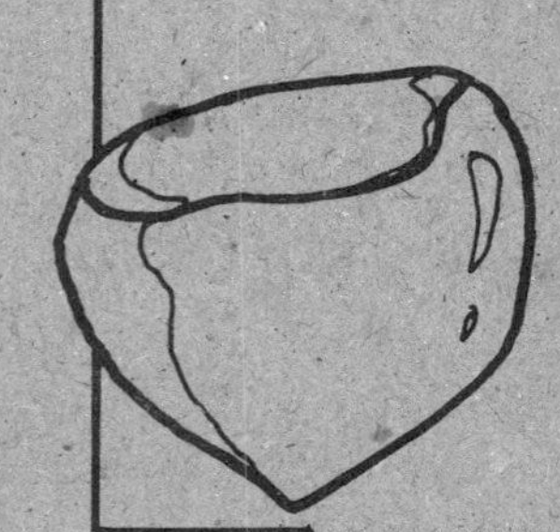

INCIDETE LA BUCCIA DELLE CASTAGNE E LESSATELE PER UN'ORA. INTANTO IMPASTATE 200 GR. DI FARINA, 2 UOVA, UN CUCCHIAIO D'OLIO ED UN PIZZICO DI SALE SINO AD OTTENERE UNA PASTA SODA CHE LASCERETE RIPOSARE PER DUE ORE. NEL FRATTEMPO PREPARATE IL RIPIENO: SBUCCIATE LE CASTAGNE, ELIMINATE LA PELLICINA E PASSATELE ALLO SCHIACCIAPATATE, LASCIANDONE INTERE CIRCA 200 GR. METTETE IL PASSATO IN UNA CIOTOLA ED INCORPORATEVI UN UOVO, 7 dl. DI LATTE, IL PARMIGIANO, UN PIZZICO DI CANNELLA ED IL SALE. SPIANATE LA PASTA SINO AD OTTENERE UNA SFOGLIA MOLTO SOTTILE CHE TAGLIERETE A DISCHI, USANDO L'IMBOCCATURA DI UN BICCHIERE. RIEMPITE OGNI DISCO CON UN CUCCHIAIO DI RIPIENO, CHIUDETELO PIEGANDOLO A METÀ E SIGILLATE I BORDI.

LESSATE I TORTELLI IN ABBONDANTE ACQUA SALATA, SCOLATELI E CONDITELI CON UNA SALSA OTTENUTA SCALDANDO IL BURRO, LA PANNA, IL LATTE, LE CASTAGNE RIMASTE, RIDOTTE A PICCOLI PEZZI, ED UN PIZZICO DI SALE.

TORTELLI DI ZUCCA

INGREDIENTI PER 4 PERSONE:

350 gr. di farina - 3 uova - 200 gr. di parmigiano grattugiato - 1 Kg. di zucca - Noce moscata - Burro - Sale - Pepe

DIVIDETE LA ZUCCA IN METÀ LIBERATELA DEI SEMI, RIDUCETELA ULTERIORMENTE IN QUARTI E PASSATELA IN FORNO LASCIANDOLA CUOCERE.
A COTTURA ULTIMATA, SBUCCIATELA E TRITATELA FINEMENTE. RIUNITE IN UNA ZUPPIERA LA ZUCCA, IL FORMAGGIO, UN PIZZICO DI SALE E PEPE, UNA GATTATINA DI NOCE MOSCATA E QUALCHE CUCCHIAIO DI ACQUA FREDDA.
MESCOLATE CON UN CUCCHIAIO DI LEGNO ED AMALGAMATE BENE IL COMPOSTO.

PER LA PASTA SBATTETE LEGGERMENTE LE UOVA IN UNA ZUPPIERINA, INCORPORATE LENTAMENTE LA FARINA E, QUANDO L'IMPASTO AVRÀ RAGGIUNTO UNA CERTA CONSISTENZA, VERSATELO DIRETTAMENTE SULLA SPIANATOIA E LAVORATELO ENERGICAMENTE CON LE MANI. INFARINATE LA SPIANATOIA E STENDETE LA PASTA IN UN DISCO SOTTILE. RITAGLIATELA POI, USANDO L'APPOSITA ROTELLA, FORMANDO QUADRATI DI 8 cm. DI LATO.
DISTRIBUITE SU CIASCUNO LA GIUSTA QUANTITÀ DI RIPIENO E RIPIEGATE IN RETTANGOLINI CHE CHIUDERETE PREMENDO BENE LUNGO IL BORDO IN MODO CHE IL RIPIENO NON POSSA USCIRE.
BOLLITE ABBONDANTE ACQUA, SALATELA E CUOCETEVI I TORTELLI.
SCOLATELI MOLTO ACCURATAMENTE.
PASSATELI IN UNA LARGA PADELLA. UNITEVI UNA NOCE DI BURRO, SCALDATE E, MESCOLANDO, CONDITELI.
SERVITELI CALDI, DOPO AVERLI COSPARSI DI PARMIGIANO GRATTUGIATO.

PREFAZIONE . . . . pag. 7

SPAGHETTI, BUCATINI, VERMICELLI E C.. . . . . // 21

Spaghetti aglio, olio e peperoncino . . . . // 23
Spaghetti aglio, olio e broccoletti . . . . // 24
Spaghetti al pecorino . . . . // 25
Spaghetti alla materana . . . . // 26
Spaghetti alla carrettiera . . . . // 27
Spaghetti alla carbonara . . . . // 28
Spaghetti alla mozzarella . . . . // 29
Spaghetti mediterranei . . . . // 30
Spaghetti alla spagnola . . . . // 31
Spaghetti alla rustica . . . . // 32
Spaghetti alla caprese . . . . // 33
Spaghetti alla Norma . . . . // 34
Spaghetti d'estate. . . . . // 36
Spaghetti ai fiori di zucca . . . . // 37
Spaghetti all'amatriciana . . . . // 38
Spaghetti con le alici . . . . // 39
Spaghetti con bottarga . . . . // 40
Spaghetti con le cozze . . . . // 41
Spaghetti ai frutti di mare . . . . // 42
Spaghetti al ragù di totano . . . . // 43
Spaghetti al cartoccio . . . . // 44
Spaghetti con le seppie . . . . // 45
Spaghetti del pescatore molisano . . . . // 46
Spaghetti del bersagliere . . . . // 47
Spaghetti (frittata di). . . . . // 48
Spaghetti al sugo di agnello . . . . // 49
Spaghetti al ragù d'anatra . . . . // 50
Spaghetti in salsa . . . . // 51
Spaghetti con sugo di carne e verdura . . . . . . // 52
Spaghetti alla norcina . . . . // 54
Spaghetti alle fragole . . . . // 55
Soufflè di spaghettini e spinaci . . . . // 56
Bavette al sugo d'anguilla . . . . // 57
Bucatini con la catalogna . . . . // 58
Bucatini alla frantoiana . . . . // 59
Bucatini agli ovoli . . . . // 60
Bucatini con le melanzane in bianco . . . . . . // 61
Bucatini al sugo diavolino . . . . // 62
Linguine alla semplice . . . . // 63

Linguine al nero di seppia . . . . pag. 64
Linguine al caviale . . . . // 65
Linguine in salsa verde . . . . // 66
Trenette al pesto . . . . // 67
Vermicelli alle vongole . . . . // 68
Vermicelli con canolicchi . . . . // 69
Vermicelli al tonno . . . . // 70
Vermicelli alla puttanesca . . . . // 71
Frittata di vermicelli ripiena . . . . // 72

PASTA CORTA (MACCHERONI, FUSILLI, RIGATONI
E TANTE ALTRE) . . . . // 75

Maccheroni ai quattro formaggi . . . . // 77
Maccheroni alla chitarra con ragù
di agnello e peperoncino . . . . // 78
Maccheroni con formaggio e sugo . . . . // 80
Maccheroncini con uova e salsicce . . . . . . // 81
Maccheroni con le sarde . . . . // 82
Maccheroni al gorgonzola . . . . // 84
Maccheroni alla bersagliera . . . . // 85
Maccheroni con polpette . . . . // 86
Maccheroni con melanzane . . . . // 87
Maccheroni al ragù di tonno . . . . // 88
Rigatoni con la pagliata . . . . // 90
Rigatoni all'emmenthal . . . . // 91
Rigatoni con fonduta e zucchine . . . . // 92
Rigatoni della "Lina" . . . . // 93
Schiaffettoni . . . . // 94
Torciglioni con la salsiccia . . . . // 95
Farfalline ai piselli . . . . // 96
Farfalline con panna e funghi . . . . // 97
Farfalle alla trevisana . . . . // 98
Farfalle alla "Rita" . . . . // 99
Fusilli bavaresi . . . . // 100
Fusilli al ragù d'agnello . . . . // 101
Fusilli con lingua salmistrata
e prosciutto crudo . . . . // 102
Fusilli vesuviani . . . . // 103
Fusilli alla paprica . . . . // 104
Penne alla "Magni" . . . . // 105
Penne al verde . . . . // 106
Penne al rosmarino . . . . // 107

Penne in insalata . . . . pag. 108
Penne alla boscaiola . . . . // 109
Penne al cavolfiore . . . . // 110
Penne al cognac . . . . // 111
Penne piccanti in rosa . . . . // 112
Penne al salame. . . . . // 113
Penne al curry. . . . . // 114
Penne alla salsa di olive . . . . // 115
Penne allo zafferano . . . . // 116
Mezze penne alla zucca . . . . // 117
Mezze maniche primavera . . . . // 118
Maltagliati alla montanara . . . . // 119
Maltagliati al mascarpone . . . . // 120
Conchiglie con le zucchine . . . . // 121
Conchiglie all'anconetana . . . . // 122
Conchiglie alle melanzane . . . . // 123
Conchiglie con la ricotta . . . . // 124
Conchiglioni con sugo di merluzzo
alla napoletana . . . . // 125
Conchiglioni al pollo in besciamella . . . . // 126
Pipe con le fave . . . . // 128
Pipe al sugo freddo di tonno . . . . // 129
Cavatieddi con la rucola . . . . // 130
Orecchiette alle rape. . . . . // 131
Orecchiette alla pugliese . . . . // 132
Zite ai broccoli . . . . // 133
Zite con pomodori al forno . . . . // 134

TAGLIATELLE, TAGLIOLINI, FETTUCCINE . . . . // 137

Tagliatelle estive . . . . // 139
Tagliatelle al sugo di coniglio . . . . // 140
Tagliatelle smalzate . . . . // 141
Tagliatelle al sugo di carne alla toscana . . . . . // 142
Tagliatelle alla romagnola . . . . // 143
Tagliatelle colorate . . . . // 144
Tagliatelle al cacao. . . . . // 146
Tagliatelle al ragù bolognese . . . . // 147
Tagliatelle alla zuava. . . . . // 148
Tagliatelle del sole . . . . // 149
Tagliatelle al sugo di noci . . . . // 150
Tagliatelle con peperoni e melanzane . . . . // 152
Tagliatelle al prosciutto . . . . // 153

Tagliatelle al limone . . . . pag. 154
Tagliatelle al succo d'arancia . . . . . // 155
Nodi di tagliatelle . . . . // 156
Lanache con le cozze . . . . // 157
Tagliolini agli aspararagi . . . . // 158
Tagliolini con salsa di carciofi . . . . // 159
Tagliolini al tartufo . . . . // 160
Tagliolini al sugo di pesce . . . . // 161
Tagliolini al salmone . . . . // 162
Tagliolini con salsa di salmone e mandorle . . . . // 163
Tagliolini panna e speck . . . . // 164
Pasticcio di tagliolini . . . . // 165
Fettuccine alla romana . . . . // 166
Fettuccine alla papalina . . . . // 167
Fettuccine al mascarpone . . . . // 168
Fettuccine di Parma . . . . // 169
Fettuccine al garofalato . . . . // 170
Fettuccine alle cipolle in salsa . . . . // 172
Pappardelle con sugo di selvaggina . . . . . . // 173
Pappardelle alla lepre . . . . // 174
Pappardelle al ragù di fagioli . . . . // 176
Pappardelle con funghi e spinaci . . . . // 177

LASAGNE, RAVIOLI E CANNELLONI . . . . // 178

Lasagne al forno con funghi . . . . // 179
Lasagne verdi . . . . // 180
Lasagne con rigaglie . . . . // 181
Lasagne con lenticchie . . . . // 182
Lasagne alla lucchese . . . . // 183
Cannelloni . . . . // 184
Cannelloni ripieni di ricotta e salsiccia . . . . . // 186
Cannelloni ripieni di carne . . . . // 188
Lasagnette alla crema di spinaci . . . . // 190
Agnolotti . . . . // 191
Pansotti liguri alle erbe . . . . // 192
Pansotti in salsa alle noci . . . . // 194
Casonsei . . . . // 195
Ravioli del barba Juan . . . . // 196
Ravioli di melanzane . . . . // 198
Ravioli magri di ricotta . . . . // 200
Tortelli di magro . . . . // 201
Tortelli alle castagne . . . . // 202
Tortelli di zucca . . . . // 203

Finito di stampare
nel mese di novembre 1998
dalla Techno Media Reference - Milano
per conto de
La Spiga Languages - Milano